'Q F
alth

P

Offi

PETER
aged 9
of shr
majors
efforts
through
heavily
Second
He es
producir
ture out
Capel Cu
and beca
Royal W
Later, he
and curat
museum
tle, where
cases and
Queen's T
potted biog
officers.
Kirby serv
committees.
Council of
Wales, the N
of Wales, the
mentation
the Gwynedd
ervation Tru
appointed De
Above all,
Esmé played
resisting atten
local landscap
priate comme
nicipal devel
provided the

ERYRI
PARC DAN BWYSAU

SNOWDONIA
PARK UNDER PRESSURE

THE STORY OF THE SNOWDONIA NATIONAL PARK & THE SNOWDONIA SOCIETY
HANES PARC CENEDLAETHOL ERYRI A CHYMDEITHAS ERYRI

Cymdeithas
Eryri
**SNOWDONIA
SOCIETY**

First published in Great Britain 2007 by Pesda Press

Galeri 22, Doc Victoria

Caernarfon, Gwynedd

LL55 1SQ

Wales

Cyhoeddwyd yn gyntaf ym Mhrydain Fawr yn 2007 gan Pesda Press (Gwasg Pesda)

Galeri 22, Doc Victoria

Caernarfon, Gwynedd

LL55 1SQ

Cymru

Contents | Cynnwys

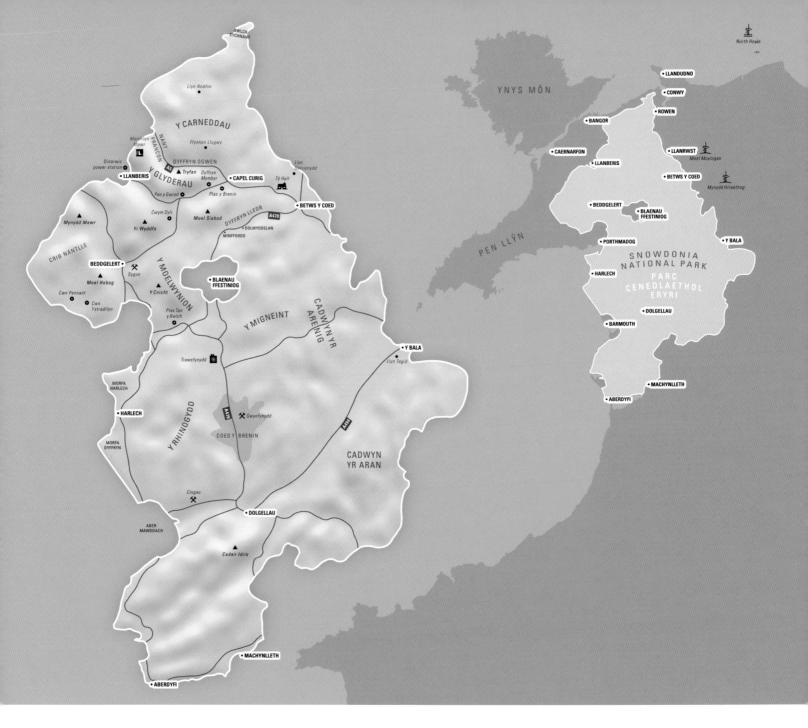

List of plates | Rhestr o luniau

Preface

I first came to Snowdonia in 1951, a schoolboy in search of adventure. A friend and I hitch-hiked from London in the new year. I shall never forget the view I had as I came round the corner of what was then the Royal Hotel - now Plas y Brenin - to look across the dark waters of Llynau Mymbyr, with the snow-clad massif of Snowdon towering behind it. For me it was Everest. The next day we tried to climb it by the Pyg track. The snow was deep; we were ill-equipped and inexperienced, were avalanched off about halfway up and beat a retreat. But I was hooked and couldn't wait to return. Most of my early climbing was in Snowdonia and I came to know and love the crags and peaks intimately. I always delight in returning to them.

The Snowdonia Society has been fortunate in finding such an able chronicler as Rob Collister. With a strong commitment to the area and deeply held views on matters affecting the Park, he skilfully interweaves the story of the Society with the parallel story of the National Park. The issues raised, such as the future of upland farming, have a relevance to other National Parks. I am confident that the Society will continue to take on the challenges facing the National Park over the next forty years.

Sir Chris Bonington, CBE

Rhagair

1951 oedd hi pan ddes i Eryri gyntaf erioed, a minnau'n fachgen ysgol yn chwilio am antur. Bodio o Lundain wnes i, ynghyd â chyfaill imi, yn y flwyddyn newydd. Anghofia i fyth yr olygfa welais i wrth droi cornel Gwesty'r Royal, fel oedd o bryd hynny - Plas y Brenin erbyn hyn - i edrych ar ddyfroedd tywyll Llynau Mymbyr, a chopaon cadwyni'r Wyddfa'n wyn dan eira, yn sefyll yn dal-syth uwchben y cyfan. I mi, dyma Eferest. Y diwrnod wedyn bu i ni geisio'i ddringo, ar y llwybr PYG. 'Roedd yr eira'n ddwfn; nid oedd gennym offer digon da ac 'roeddem yn amhrofiadol, 'roedd cwymp anferthol o eira wedi disgyn hanner ffordd i fyny a bu'n rhaid i ni droi'n ôl. Ond 'roeddwn wedi fy syfrdanu, ac yn methu aros i ddychwelyd. Treuliais y mwyafrif o 'mlynyddoedd cyntaf yn dringo yn Eryri, ac mi ddes i adnabod y clogwyni a'r copaon yn drylwyr. Byddaf bob amser wrth fy modd yn mynd yn ôl atynt.

Mae Cymdeithas Eryri wedi bod yn ffodus i ddarganfod person mor fedrus â Rob Collister i groniclo'r hanes. Oherwydd ei ymrwymiad cryf â'r ardal, a'i farn bendant ar bob mater sy'n effeithio ar y Parc, mae'n gweu stori'r Gymdeithas a stori gyfochrog y Parc Cenedlaethol yn feistrolgar. Mae'r materion sy'n cael eu gwyntyllu, fel dyfodol ffermio'r ucheldiroedd, yn berthnasol i Barciau Cenedlaethol eraill. 'Rwy'n hyderus y bydd y Gymdeithas yn dal i ymateb i bob sialens fydd yn wynebu'r Parc Cenedlaethol dros y deugain mlynedd nesaf.

Syr Chris Bonington, CBE

Chwith ~ Ochr ddwyreiniol Tryfan yn y gaeaf. **PA**
Uchod ~ Rheilffordd Cwm Ystradllyn (bellach yn segur). **PA**

Drosodd ~
(chwith) Diwedd y gaeaf, Moel Siabod. **SL**
(dde) Cadair Idris a Tal y Llyn. **APCE**

Left ~ East face of Tryfan in winter. **PA**
Above ~ Cwm Ystradllyn Railway (disused). **PA**

Overleaf ~
(left) Late winter, Moel Siabod. **SL**
(right) Cadair Idris and Tal y Llyn. **SNPA**

Introduction

The **Snowdonia National Park** was created in 1951. It covers a large area stretching fifty miles from Conwy in the north to Aberdyfi in the south, and over thirty miles from Harlech in the west to Bala in the east. A landscape of rugged grandeur, great natural diversity and cultural associations going back thousands of years was to be given special protection from harmful developments of any kind. The largely urban population of Britain would be able to experience a beauty, a wildness and a freedom lacking in their everyday lives and a sense of space, solitude and silence could be found by any who chose to seek it. That was the vision of campaigners between the two wars who had to work long and hard to make the National Parks Act a reality.

From the beginning, however, there were problems. It was a source of confusion and conflict that land within the Park did not actually belong to the nation and that, despite a strong National Trust presence, there was no legal right of access to much of it. People lived in the Park and they had no desire to be preserved in aspic for the benefit of visitors. The visitors often did not understand that dogs will chase sheep, that gates need to be shut to keep livestock in and that walls quickly fall apart when climbed over. And governments from that day to this have consistently under-valued, under-funded and sometimes actively undermined the whole National Park concept. It was to become a truism that the subsidy for Covent Garden Opera House was greater than that for all ten National Parks put together. In Snowdonia, this lack of political belief expressed itself almost immediately with the building of Trawsfynydd nuclear power sta-

Right ~ Esmé Kirby, founder of the Snowdonia Society, on her farm, Dyffryn Mymbyr.
Esmé Kirby Snowdonia Trust

Dde ~ Esmé Kirby yn Dyffryn yn y dyddiau cynnar.
Ymddiriedolaeth Eryri Esmé Kirby

EARLY DAYS
DYDDIAU CYNNAR
1967-77

tion in the geographical heart of the new Park. That it was designed to look, at a distance, like one of the Plantagenet castles could only add insult to injury. Yet, in a foretaste of future conflicts, it was welcomed by many for the jobs it would provide. By the mid-sixties Bill Condry, the well-known naturalist and one of the finest of all writers on Snowdonia, could say, "I often wonder how many people realise what battles have been fought to keep this fine region as little blemished as it is. How many are conscious of the perennial pressures that come from would-be exploiters and their philistine projects?"

Cyflwyniad

Crëwyd **Parc Cenedlaethol Eryri** ym 1951. Mae'n ymestyn am hanner can milltir o Gonwy yn y gogledd i Aberdyfi yn y de, a dros ddeng milltir ar hugain o Harlech yn y gorllewin i'r Bala yn y dwyrain. Dyma dirwedd hagr ond hardd, tirwedd sy'n llawn amrywiaeth naturiol gogoneddus a chanddi gysylltiadau diwylliannol ers miloedd o flynyddoedd, a'r bwriad oedd ei diogelu rhag unrhyw ddatblygiadau niweidiol. Byddai poblogaeth drefol Prydain yn cael cyfle i brofi harddwch, gwylltineb a rhyddid nad yw'n rhan o'u bywyd beunyddiol, a byddai argraff o leoedd agored, unigedd a thawelwch ar gael i unrhyw un fyddai'n dymuno chwilio amdano. Dyna oedd gweledigaeth yr ymgyrchwyr rhwng y ddau ryfel byd, a fu'n gweithio'n ddygn ac am amser maith i sicrhau llwyddiant Deddf y Parciau Cenedlaethol.

❱❱ Ond, bu problemau o'r dechrau. 'Roedd yn fater o ddryswch a gwrthdaro nad oedd y tir oddi mewn i'r Parc yn perthyn i'r genedl, ac er bod yno bresenoldeb cryf gan yr Ymddiriedolaeth Genedlaethol, nid oedd mynediad cyfreithiol ar gael i rannau helaeth ohono. Nid oedd y brodorion oedd yn byw yn y Parc am gael eu cadw mewn amgueddfa, fel petai, er mwyn ymwelwyr. Yn amlach na pheidio nid oedd ymwelwyr yn deall fod cŵn yn dueddol o redeg ar ôl defaid, bod angen cau gatiau er mwyn sicrhau na fyddai'r anifeiliaid yn crwydro, ac y byddai waliau'n chwalu'n gyflym o ddringo trostynt. Mae llywodraethau hefyd wedi tanbrisio, tanariannu ac o bryd i'w gilydd thanseilio cysyniad y Parc Cenedlaethol ar hyd y blynyddoedd. Y gwir yw bod y cymhorthdal a gafodd Tŷ Opera Covent Garden yn fwy na chymhorthdal y deg Parc Cenedlaethol gyda'i gilydd. Yn Eryri amlygwyd y diffyg yn y gred wleidyddol yn weddol gyflym wrth adeiladu gorsaf bŵer niwclear Trawsfynydd yng nghalon ddaearyddol y Parc newydd. Rhwbio halen i friw oedd i'r adeilad gael ei gynllunio i ymdebygu o bell i un o gestyll y Plantagenet. Er hynny, fe'i croesawyd oherwydd y swyddi a fyddai'n dod yn ei sgil, a dyma flas o'r gwrthdaro a fyddai'n dod yn y dyfodol. Erbyn canol y chwedegau gallai Bill Condry, y naturiaethwr adnabyddus ac un o'r ysgrifenwyr gorau am Eryri ddweud, "'Rwy'n meddwl yn aml faint o bobl sy'n sylweddoli sawl brwydr sydd wedi'i hymladd er mwyn cadw'r ardal hardd hon mor ddilychwyn ag y mae. Faint sy'n ymwybodol o'r pwysau parhaol sy'n dod o ochr y rhai sydd am ecsbloetio'r ardal gyda'u prosiectau di-ddiwylliant?"

Isod ~ Gorsaf bŵer niwclear Trawsfynydd yng nghanol Eryri, cymeradwywyd ym 1955 bedair blynedd yn unig wedi creu'r Parc. **CE**

Below ~ Transfynydd nuclear power station in the heart of Snowdonia, approved in 1955, only four years after the Park was created. **SS**

The Society

The founding of a society dedicated to conserving and, whenever possible, enhancing the landscape of Snowdonia was first mooted at an informal meeting convened by Mrs Esmé Kirby in May 1966. Esmé was a remarkable woman who lived at Dyffryn Mymbyr, an old farm with a view of the Snowdon Horseshoe which she prized above all things. At first glance 'dainty as a Dresden Shepherdess', yet physically hardy and with a will of steel, she had been the diminutive heroine of Thomas Firbank's book *I Bought a Mountain*, a vivid best-selling account of sheep-farming on the Glyderau just before the Second World War. When Firbank went off to the war, Esmé stayed on, running the farm and subsequently marrying Peter Kirby. Peter was a charming, intelligent ex-soldier, good with his hands, who preferred to stay in the background but shared Esmé's passionate concern for Snowdonia.

▍ In June 1967, a public meeting attended by 120 people was held in Betws y Coed. There were in fact a few dissenting voices (notably Jo Briggs from the Pen y Gwryd Hotel) who felt that the then Council for the Protection of Rural Wales[1] was doing a perfectly good job already. Esmé felt that the CPRW was too conservative and cautious in its approach and she was not on good terms with its local Chair, Cicely Williams-Ellis. The mood of the meeting was won round and as a result of the support shown, a committee was formed and a constitution drawn up for the **Snowdonia National Park Society**. Esmé was the first Chairman (she was not one to worry about 'gender issues') and it became her life's work.

▍ The first Annual Report stressed that the Society 'intended to take practical steps to improve relationships between those who live and work in the area, especially the farming community, and the visitors'. The hope was expressed that 'we will remain for all time not a walkers' society or a farmers' society, neither a Welsh nor an English society, but a society for all who care for the Snowdonia National Park'. It is clear that the founding of the Society was a response to increasing visitor pressure brought about by the national post-war economic recovery. Growing prosperity, more leisure time and improved roads led to the beginning of the mass tourism that we are familiar with today, with all the benefits but also the problems that it brings. The Joint Advisory Committee of the day, owing uneasy allegiance to both Caernarfonshire and Meirionnydd County Councils, seemed unwilling to address the issues arising, to the frustration of many living in the area. Esmé, the driving force behind the Society from its inception, was both a farmer and, in her younger days, a formidable walker; she was English, but had lived in the area since the thirties. She felt that she could span the growing divide and help build some much-needed bridges.

[1] The name changed in 1991 to the Campaign for the Protection of Rural Wales.

Above ~ Looking over Capel Curig and Llynnau Mymbyr towards the Snowdon Horseshoe. **RC**

Uchod ~ Edrych dros Capel Curig a Llynnau Mymbyr tuag at Bwlch yr Oernant. **RC**

Y Gymdeithas

Crybwyllwyd y syniad o sefydlu cymdeithas fyddai'n diogelu a chyfoethogi tirwedd Eryri - ble bynnag fyddai hynny'n bosib - am y tro cyntaf mewn cyfarfod anffurfiol a drefnwyd gan Mrs *Esmé Kirby* ym Mai 1966. Dynes anhygoel oedd Esmé oedd yn byw ar hen ffarm Dyffryn Mymbyr. Yr hyn a drysorai uwchlaw popeth arall oedd yr olygfa o Fwlch yr Oernant a welai o'r fferm. Ar yr olwg gyntaf ymddangosai 'mor ddel â Bugeiles Dresden' ('dainty as a Dresden Shepherdess'), ond mewn gwirionedd 'roedd yn gryf o gorff a chanddi ewyllys ddiwyro. Hi oedd arwres fechan llyfr hynod boblogaidd Thomas Firbank *I Bought a Mountain*, stori llawn asbri am ffermio defaid ar y Glyderau ychydig cyn dechrau'r Ail Ryfel Byd. Pan aeth Firbank i'r rhyfel, arhosodd Esmé gartref yn rhedeg y fferm, ac yna priododd â Peter Kirby. 'Roedd Peter yn gyn-filwr bonheddig a deallus ac yn dda gyda'i ddwylo. Er nad oedd yn ddyn cyhoeddus, rhannai bryder angerddol Esmé am Eryri.

Uchod ~ Ffermdy Dyffryn Mymbyr, cartref Esmé am bron i 60 mlynedd - gadawyd ar ôl marwolaeth Peter Kirby i'r Ymddiriedolaeth Genedlaethol. **RC**

Above ~ Dyffryn Mymbyr farmhouse, Esmé's home for nearly sixty years – bequeathed on Peter Kirby's death to the National Trust. **RC**

⑊ Ym mis Mehefin 1967 daeth 120 o bobl at ei gilydd i gyfarfod cyhoeddus ym Metws y Coed. 'Roedd ambell un yn erbyn y syniad (y mwyaf nodedig oedd Jo Briggs o Westy Pen y Gwryd) gan eu bod yn teimlo fod Cyngor Diogelu Cymru Wledig[1] eisoes yn gwneud gwaith digonol. Teimlai Esmé fod holl ethos CPRW yn rhy geidwadol ac yn rhy wyliadwrus, ac nid oedd ar delerau da â'r Cadeirydd, Cicely Williams-Ellis. Llwyddwyd i wyrdroi'r teimlad oedd yn y cyfarfod, ac o ganlyniad i'r gefnogaeth a gafwyd, ffurfiwyd pwyllgor a lluniwyd cyfansoddiad ar gyfer **Cymdeithas Parc Cenedlaethol Eryri**. Esmé oedd y Cadeirydd cyntaf (nid oedd hi'n un i boeni am 'faterion y ddau ryw') a bu iddi gysegru ei bywyd i'r gwaith.

[1] Newidwyd yr enw ym 1991 i Ymgyrch Diogelu Cymru Wledig.

⑊ 'Roedd yr Adroddiad Blynyddol cyntaf yn pwysleisio fod y Gymdeithas 'yn bwriadu cymryd camau ymarferol i wella'r berthynas rhwng y rheiny oedd yn byw ac yn gweithio yn yr ardal, yn enwedig y gymuned amaethyddol, a'r ymwelwyr'. Mynegwyd y gobaith 'na fyddwn fyth yn gymdeithas ar gyfer cerddwyr nac ar gyfer ffermwyr yn unig; na fyddwn fyth yn gymdeithas Gymreig nac yn gymdeithas Saesneg yn unig; ond yn gymdeithas i bawb sydd â gofal am Barc Cenedlaethol Eryri'. Mae'n amlwg i'r Gymdeithas gael ei sefydlu fel ymateb i'r pwysau cynyddol a fu gan ymwelwyr ar yr ardal, yn dilyn y gwelliant economaidd wedi'r rhyfel. Arweiniodd y ffyniant economaidd, rhagor o amser hamdden a gwell ffyrdd i'r llifeiriant newydd o dwristiaid 'rydym ni'n gyfarwydd ag ef heddiw, gyda phob un o'r manteision, ond hefyd gyda'r holl broblemau sy'n dod yn ei sgil. Gan fod yn rhaid i Gydbwyllgor Cynghori'r cyfnod gadw'r ddysgl yn wastad rhwng Cyngor Sir Caernarfon a Chyngor Sir Meirionnydd, nid oeddynt yn awyddus i fynd i'r afael ag unrhyw un o'r pynciau oedd yn codi, er mawr rwystredigaeth i lawer o drigolion yr ardal. 'Roedd Esmé, ceffyl blaen y gymdeithas o'r dechrau, yn ffermwr ac wedi bod yn gerddwr brwd iawn yn ei hieuenctid; er mai Saesnes oedd hi, 'roedd wedi byw yn yr ardal ers y tridegau. 'Roedd yn teimlo y gallai bontio'r gagendor oedd yn datblygu a chreu gwell cysylltiadau rhwng y gwahanol garfannau.

Almost immediately, however, the new committee found itself split down the middle by a contentious issue from a totally unexpected quarter. This was a planning application to turn the **Gorphwysfa Hotel** at Pen y Pass, famous as the venue for Geoffrey Winthrop Young's Christmas and Easter climbing meets before and after the First World War, into a Youth Hostel. The Chairman was fiercely opposed to the idea, fearing an influx of the great unwashed (though naturally this was never openly stated), and the debate aroused strong feelings on both sides. Within five months of its inaugural meeting, the first Secretary of the Society, Arthur Roberts, had resigned indignantly. Even two years later, a motion proposed at the AGM that 'the Society endeavours to maintain good relations with the Youth Hostel Association' was defeated, even if only just. Not until 1975, when Harvey Lloyd, warden of the new hostel, became a member of the committee could the matter really be laid to rest. (Harvey has been an active member of the Society ever since and still leads groups of members on intrepid mountain walks, whatever the weather.)

Left ~ The Gorphwysfa Hotel at Pen y Pass before it became a Youth Hostel – Crib Goch in the background. **HL**

Chwith ~ Gwesty Gorphwysfa ym Mhen y Pass cyn ei newid yn Hostel Ieuenctid - Y Grib Goch yn y cefndir. **HL**

The Annual Report records that in the first year of the Society's existence, the committee met no fewer than twelve times. By the following year this had fallen to four, with meetings always held at Dyffryn. More and more of the workload of the Society was being shouldered by one person. Between 1970, when John Gittins resigned as Secretary, and 1976, when Philip Evans took over, Esmé was de facto Hon. Secretary as well as Chairman. The early Annual Reports included the AGM agenda, minutes and matters arising, as well as reports from Chairman, Secretary and Treasurer, but by 1973 the Annual Report was simply a Chairman's report, written entirely by Esmé. Much later, she was to say, with characteristic frankness, "I

started to write them because the first reports were so dull and boring that it is doubtful if anyone read them". She was probably right and her reports were certainly never dull. In 1970 the constitution was amended to enable the Chairman to stay in office indefinitely, which Esmé did for the next twenty years.

Nonetheless, it would be a mistake to assume that the Society was simply a one-man band. Involved from the very beginning and supportive members of the Committee for many years were people like Michael Senior, a Conwy Valley writer and historian, Murray Watterson, Warden of Plas Gwynant Outdoor Education Centre, and Mrs Elaine

Bonner. John Jackson, Director of Plas y Brenin, the National Mountain Centre, was an early supporter but distanced himself, understandably, after Esmé sabotaged a scheme for the main road to by-pass the Centre. To this day, the road is the most hazardous part of a course at Plas y Brenin. However, his deputy at the Centre, Roger Orgill, remained involved with the Society and was Vice-Chair for several years in the eighties. The end of the decade saw the first appearance on the committee of Ken Jones, a plain-speaking local who kept the Society informed of opinions and feelings within the Llanberis community over the next twenty-five years. The 10th Annual Report records the growing popularity of the Snowdon Race, organized by Ken, and that the Veterans' class was won by George Rhodes, a Society member.

Yn anffodus, fodd bynnag, holltwyd y pwyllgor newydd bron yn syth, gan fater dadleuol a gododd yn gwbl annisgwyl. Derbyniwyd cais cynllunio i droi **Gwesty Gorphwysfa** ym Mhen y Pass yn Hostel Ieuenctid. Daeth yr adeilad yn enwog fel man cyfarfod ar gyfer teithiau dringo Nadolig a Phasg Geoffrey Winthrop Young, cyn ac ar ôl y Rhyfel Byd Cyntaf. 'Roedd y Cadeirydd yn gwrthwynebu'r syniad yn chwyrn, gan ei fod yn ofni dylifiad o wehilion i'r ardal, (er na fynegwyd hyn yn agored wrth gwrs), a bu i'r ddadl ennyn teimladau cryf o bob tu. Pum mis wedi'r cyfarfod agoriadol bu i Ysgrifennydd cyntaf y Gymdeithas, Arthur Roberts, ymddiswyddo'n ddig. Hyd yn oed ddwy flynedd yn ddiweddarach, trechwyd cynnig yn y Cyfarfod Blynyddol yn datgan fod 'y Gymdeithas yn ceisio meithrin perthynas dda â Chymdeithas yr Hostelau Ieuenctid' - o drwch blewyn yn unig. Ni lwyddwyd i setlo'r mater tan 1975 pan ddaeth Harvey Lloyd, warden yr hostel newydd, yn aelod o'r pwyllgor. (Mae Harvey wedi bod yn aelod gweithgar o'r Gymdeithas byth ers hynny, ac mae'n dal i arwain grwpiau o aelodau ar deithiau cerdded go fentrus ar y mynyddoedd, beth bynnag fo'r tywydd).

Mae'r Adroddiad Blynyddol yn cofnodi fod y pwyllgor wedi cyfarfod dim llai na dwsin o weithiau yn ystod y flwyddyn gyntaf. Y flwyddyn ganlynol pedwar pwyllgor yn unig a gynhaliwyd, a phob un ohonynt yn Nyffryn. 'Roedd un person yn ysgwyddo baich y Gymdeithas fwyfwy. Rhwng 1970, pan ymddiswyddodd John Gittins fel Ysgrifennydd, a 1976, pan gymerodd Philip Evans yr awenau, Esmé oedd yr Ysgrifennydd Anrhydeddus de facto, yn ogystal â'r Cadeirydd. 'Roedd yr Adroddiadau Blynyddol cynharaf yn cynnwys agenda'r Cyfarfod Blynyddol, y munudau a'r materion oedd yn cael eu trafod, yn ogystal ag adroddiadau gan y Cadeirydd, yr Ysgrifennydd a'r

Trysorydd. Erbyn 1973, fodd bynnag, adroddiad y Cadeirydd yn unig oedd cynnwys yr Adroddiad Blynyddol, a ysgrifennwyd yn gyfan gwbl gan Esmé. Yn ddiweddarach dywedodd yn ei ffordd onest ddihafal ei hun, "Dechreuais i eu hysgrifennu oherwydd bod yr adroddiadau cyntaf mor ddiflas, dydw i ddim yn siwr os oedd unrhyw un yn eu darllen nhw". Mae'n debyg ei bod yn iawn, ac yn sicr nid oedd ei hadroddiadau hi'n syrffedus. Cafodd y cyfansoddiad ei ddiwygio ym 1970 er mwyn caniatáu i'r Cadeirydd barhau yn ei swydd am gyfnod amhenodol, a dyna wnaeth Esmé am yr ugain mlynedd nesaf.

Er hyn, camgymeriad fyddai tybio mai band un dyn oedd y Gymdeithas. O'r dechrau'n deg 'roedd aelodau cefnogol ar y Pwyllgor, pobl fel Michael Senior, awdur a hanesydd o Ddyffryn Conwy, Murray Watterson, Warden Canolfan Addysg Agored Plas Gwynant, a Mrs Elaine Bonner. 'Roedd John Jackson, Cyfarwyddwr Plas y Brenin, y Ganolfan Fynydda Genedlaethol, yn gefnogwr cynnar, ond bu'n rhaid iddo ymbellhau, yn naturiol ddigon, wedi i Esmé danseilio cynllun a fyddai'n caniatáu i'r brif ffordd osgoi'r Ganolfan. Hyd y dydd heddiw mae'n debyg mai'r ffordd yw'r elfen fwyaf peryglus o unrhyw gwrs ym Mhlas y Brenin. Fodd bynnag, bu i Roger Orgill, ei ddirprwy yn y Ganolfan, barhau mewn cysylltiad â'r Gymdeithas a bu'n Is-Gadeirydd am rai blynyddoedd yn ystod yr wythdegau. Ar ddiwedd y ddegawd, daeth Ken Jones yn aelod o'r pwyllgor am y tro cyntaf. Gŵr lleol di-flewyn ar dafod a fyddai'n mynegi barn a theimladau'r gymuned leol yn Llanberis i'r Gymdeithas am y pum-mlynedd-ar hugain nesaf. Mae'r 10fed Adroddiad Blynyddol yn cofnodi poblogrwydd cynyddol Ras Eryri, a drefnwyd gan Ken, a bod ras y rhedwyr feteran wedi'i hennill gan George Rhodes, aelod o'r Gymdeithas.

Uchod ~ Harvey Lloyd (ail o'r chwith), aelod gweithgar o'r Gymdeithas yn enwedig yn y saith a'r wythdegau, yma'n arwain gwibdaith i'r Gymdeithas. **CE**

Above ~ Harvey Lloyd (second from left), an active Society member, particularly in the seventies and eighties, here leading a Society outing. **SS**

Isod ~ Ken Jones, un o drigolion Llanberis ac aelod pybyr o'r Gymdeithas am flynyddoedd lawer. **SL**

Below ~ Ken Jones, a resident of Llanberis and stalwart member of the Society for many years. **SL**

Landscape & Planning

Pen y Pass excepted, the early years of the Society were relatively quiet. The Sychnant Pass seems to have been a black spot for **litter**, requiring regular clear-up efforts. There were experiments with signage and removing litter bins here and in Nant Gwynant. Concern was regularly expressed over the growing **erosion of mountain footpaths** and volunteer work was carried out by visiting groups on the Miners' Track from Pen y Gwryd to Ogwen. A **courtesy path** over the Glyderau, complete with stiles and splashes of red paint (which were not to everyone's liking), was negotiated with local farmers and won a Prince of Wales Award. This led to another in the Carneddau, but proposals for a similar path in the Nantlle Valley foundered when one farmer refused to cooperate, despite Esmé's charm and diplomacy.

A recurring theme in the Annual Reports was the staggering inefficiency and dilatoriness of local government. It was almost as if the departments concerned hoped that if they did nothing, problems would go away. The production of a **definitive footpath map** for Caernarfonshire was a case in point. This had been requested of all local authorities by the government in the fifties and in Caernarfonshire had been dealt with reasonably quickly by the Highways Department. It was then sent to the Clerk's Department as a few paths were in dispute, and it was nearly twenty years before it re-emerged and could be published.

Waterskiing on **Llyn Geirionydd** is another example. In 1969 it is reported that a by-law is imminent to ban a particularly noisy and disruptive activity in this quiet, secluded location. The topic recurs annually but eight years later it is ruefully reported that the Sports Council is supporting the waterskiers and the matter is likely to go to Public Inquiry. Nearly forty years on, this particular dispute is still with us.

Above (top to bottom) ~ Litter bins sometimes create rather than solve a problem … **DF** ~ Litter-picking on the Sychnant Pass in the sixties. Nowadays there are fewer tin cans and more plastic bags and foil wrappers but the weather is much the same! **Associated Newspapers**

Uchod (o'r top i'r gwaelod) ~ Weithiau mae biniau sbwriel yn creu problem, yn hytrach na'i datrys … **DF** ~ Casglu sbwriel ym Mwlch yr Oernant yn y chwedegau. Erbyn heddiw mae llai o duniau a mwy o fagiau plastig a phapur lapio ffoil, ond digon tebyg yw'r tywydd! **Associated Newspapers**

Tirwedd a Chynllunio

Ar wahân i Ben y Pass, 'roedd blynyddoedd cynharaf y Gymdeithas yn weddol dawel. Mae'n debyg i Fwlch Sychnant fod yn lle drwg am **sbwriel** ac 'roedd angen trefnu clirio'r fan yn rheolaidd. Bu arbrofi gydag arwyddion a symud biniau sbwriel oddi yno yn y fan hon ac yn Nant Gwynant. 'Roedd pryderu cyson am **erydiad cynyddol y llwybrau cerdded mynyddig** a bu i grwpiau o bobl wirfoddoli i weithio ar Drac y Mwynwyr o Ben y Gwryd i Ddyffryn Ogwen. Llwyddwyd i drefnu llwybr cwrteisi dros y Glyderau, ynghyd â chamfeydd a marciau o baent coch arnynt (nad oedd at ddant pawb) drwy gydweithrediad â'r ffermwyr lleol, a bu i'r cynllun ennill Gwobr Tywysog Cymru. Yn dilyn y llwyddiant hwn cafodd llwybr tebyg ei greu yn y Carneddau, ond bu i gynigion am lwybr tebyg arall yn Nyffryn Nantlle fethu oherwydd i un ffermwr lleol wrthod cydweithredu, er gwaethaf ffordd ddiplomatig a hynaws Esmé o geisio dwyn perswâd.

❚❚ Thema sy'n cael ei hail-adrodd droeon yn yr Adroddiadau Blynyddol oedd aneffeithiolrwydd ac arafwch syfrdanol llywodraeth leol. Bron na ellir coelio fod rhai o'r adrannau perthnasol yn gobeithio os na fyddent yn gwneud dim y byddai'r holl broblemau'n diflannu. Enghraifft dda o hyn oedd cyhoeddi **map terfynol i lwybrau troed** yn Sir Gaernarfon. Yn y pumdegau 'roedd y Llywodraeth wedi gwneud cais i'r perwyl hwn i bob Awdurdod Lleol, a chafodd y cais yn Sir Gaernarfon ei drin a'i drafod yn weddol gyflym gan Adran y Priffyrdd. Gyrrwyd hwn wedyn i Adran y Clerc gan fod anghydfod ynglŷn â rhai llwybrau, ac aeth bron i ugain mlynedd heibio cyn iddo ail-ymddangos a chael ei gyhoeddi.

❚❚ Esiampl arall yw sgïo-dŵr ar **Lyn Geirionnydd**. Ym 1969 cyhoeddwyd fod deddf-leol ar fin ei chreu i wahardd unrhyw weithgaredd swnllyd a fyddai'n tarfu ar y lleoliad tawel, ynysig hwn. Mae'r pwnc yn ymddangos yn flynyddol, ond wyth mlynedd yn ddiweddarach adroddir yn resynus fod y Cyngor Chwaraeon yn cefnogi'r sgïwyr-dŵr, a bod y mater yn debygol o fynd i Ymchwiliad Cyhoeddus. Bron ddeugain mlynedd yn ddiweddarach mae'r ddadl arbennig hon yn dal i rygnu 'mlaen.

Another theme that crops up time and again in the Annual Reports is the insensitivity of much road improvement and the intransigence of the **Highways Department.** More than once it was said that the worst enemy of the National Park was the County Surveyor, head of that department. Personalities have changed over the years, but attitudes have not. Roads that are wider, straighter, faster and built as cheaply as possible are the priority and concessions to landscape, even in a National Park, can be wrung from the Department only by the laborious, expensive mechanism of a Public Inquiry. In this decade, the A5 through the Ogwen Valley, with its slate chip verges and crude walling, is deplored; a proposal for the Lledr valley first raises its head and the **Cromlech Boulders** have to be defended from explosives, not once but twice. "Is it not possible for the Highways Authority to be a little less autocratic and inflexible?" Esmé asks plaintively. We could say the same today, alas.

The Cromlech Boulders, a collection of huge, glacially deposited rocks, are well-known features of the Llanberis Pass. They were saved initially by Harvey Lloyd, who discovered, quite by chance, that workmen were busy drilling holes prior to blasting. The boulders were significant to climbers, both as a traditional shelter and as a popular bouldering venue, but to a much wider public they were a tangible and dramatic reminder of Snowdonia's not-so-distant glacial past. To a number of local councillors, however, this was sentimental nonsense, standing in the way of progress, and an unwarranted intrusion by outsiders into a strictly local affair. It was a clash of values that was to become all too familiar in the years to come. This particular saga rumbled on for six years before the County Surveyor finally conceded that it might be possible to widen the road without damaging the boulders.

Forestry was another leitmotif running through the early reports. Like agriculture, forestry had been exempted from planning controls when the Park was created on the grounds that trees were a growing crop. As a result, and encouraged by generous tax concessions, the uplands, not just of Snowdonia but throughout Britain, were changed beyond all recognition. Throughout the sixties and seventies, the post-war blanket plantings of spruce were beginning to grow up and the Forestry Commission, still seeking new areas to plant, was impervious to landscape or conservation concerns. Nowadays, it is widely recognized that the huge scale and monoculture nature of those plantings was a disastrous mistake, of little economic benefit to anyone except a few pension funds and millionaires. Both the remit and the attitude of the Forestry Commission have altered radically since then, but 'What's done cannot be undone'.

Below ~ The Cromlech boulders in the Llanberis Pass, saved from destruction by the prompt action of Harvey Lloyd. **RC**

Isod ~ Meini'r Gromlech ym Mwlch Llanberis a achubwyd rhag eu dinistrio drwy weithredu amserol Harvey Lloyd. **RC**

❧ Thema arall sy'n ymddangos droeon yn yr adroddiadau Blynyddol yw diffyg sensitifrwydd llawer o'r gwelliannau sy'n cael eu gwneud ar y ffyrdd ac anhyblygrwydd **Adran y Priffyrdd**. Fe ddywedir fwy nag unwaith mai gelyn pennaf y Parc Cenedlaethol yw'r Syrfëwr Sir, pennaeth yr adran arbennig honno. Mae personoliaethau wedi mynd a dod ar hyd y blynyddoedd, ond nid yw'r agweddau wedi newid. Y flaenoriaeth yw ffyrdd sy'n lletach, yn sythach, yn gyflymach ac sy'n cael eu hadeiladau mor rhad â phosib. Hyd yn oed mewn Parc Cenedlaethol ni ellir cael unrhyw gonsesiwn i'r tirwedd, dim ond drwy fanteisio ar fecanwaith drud a llafurus Ymchwiliad Cyhoeddus. Yn y ddegawd hon testun gofid yw'r A5 drwy Ddyffryn Ogwen, gydag ochrau'r ffordd wedi'i gwneud o rawiau mân o lechi, a'r waliau cerrig amrwd. Mae cynnig ar gyfer Dyffryn Lledr yn cael ei wyntyllu am y tro cyntaf, ac mae **Meini'r Gromlech** wedi cael eu hachub rhag ffrwydradau, nid unwaith ond ddwywaith. "Onid yw'n bosib i Awdurdod y Priffyrdd fod ychydig yn llai unbenaethol ac anhyblyg?" cwyna Esmé. Mae'n bechod mai'r un yw'r gŵyn o hyd.

❧ Mae Meini'r Gromlech, casgliad o ddynodion creiglifol anferth, yn nodweddion amlwg iawn ym Mwlch Llanberis. Fe'u hachubwyd yn y lle cyntaf gan Harvey Lloyd a ddarganfyddodd, drwy hap a damwain, fod gweithwyr yn prysur ddrilio tyllau ynddynt cyn eu ffrwydro. 'Roedd arwyddocâd arbennig i ddringwyr yn y Meini, nid yn unig fel lloches draddodiadol a llecyn poblogaidd i fowldro, ond i'r cyhoedd ehangach 'roeddynt yn atgof diriaethol a dramatig o orffennol rhewlifol Eryri. Lol sentimental oedd hyn, fodd bynnag, i nifer o gynghorwyr lleol, rhwystr i symud ymlaen gyda'r oes, ac nid oeddynt yn gwerthfawrogi ymyrraeth pobl o'r tu allan i fater gwbl leol. Dyma werthoedd yn gwrthdaro, a byddai'r un peth yn amlygu'i hun lawer gwaith dros y blynyddoedd. Llusgodd y saga hon yn ei blaen am chwe blynedd, cyn i'r Syrfëwr Sir addef o'r diwedd efallai y byddai'n bosib lledaenu'r ffordd heb wneud difrod i'r Meini.

❧ 'Roedd **Coedwigaeth** hefyd yn thema cyson yn yr adroddiadau cynnar. Yn yr un modd ag amaethyddiaeth, 'roedd coedwigaeth wedi ei eithrio rhag rheolau cynlluniau pan grëwyd y Parc ar y sail fod coed yn gnwd byw. O ganlyniad, a gyda'r anogaeth ddaeth yn sgil consesiynau hael o ran trethi, newidiwyd tiroedd uchel Eryri a Phrydain gyfan y tu hwnt i bob adnabyddiaeth. Drwy gydol y chwedegau a'r saithdegau, 'roedd y coed pyrwydd a blannwyd yn eu cannoedd wedi'r rhyfel yn dechrau tyfu, a 'roedd y Comisiwn Coedwigaeth, a oedd yn dal i chwilio am diroedd newydd i blannu ynddynt, yn gwbl ddall i unrhyw bryder o ran tirwedd a chadwraeth. Erbyn heddiw mae pawb yn gytûn mai camgymeriad trychinebus oedd plannu ungnwd ar raddfa mor anferth, ac sydd heb fawr o fudd economaidd i neb ond i lond llaw o filiwnyddion ac ambell i gronfa bensiwn. Mae cyfrifoldeb ac agwedd y Comisiwn Coedwigaeth wedi newid yn gyfan gwbl erbyn heddiw, ond 'ni ellir dadwneud yr hyn sydd eisoes wedi digwydd'.

 The two biggest issues of the decade both surfaced in 1970. The application by the multinational company **Rio Tinto Zinc** to explore for copper in Meirionnydd and to dredge for gold in the Mawddach estuary led to a huge campaign. The Society joined forces for the first time with other bodies like the British Mountaineering Council, Friends of the Earth, the Ramblers' Association, the CPRW and many others. After a Public Inquiry, the Secretary of State for Wales granted permission for one year's exploratory drilling, which would mean only one thing if it was successful. In the event RTZ did not proceed with the project, but Snowdonia was saved more by the world price of copper than by the enormous depth of feeling evinced nationally. One positive outcome was *Eryri, the Mountains of Longing*, a coffee table collection of stunning photographs by Philip Evans (whose pictures also enhanced the Annual Reports from the mid-seventies) supported by a perceptive and readable polemic by Amory Lovins, an American environmentalist.

 The other issue, the effects of which altered the northern Glyderau for ever, was the **Dinorwic pump storage scheme**. Although an engineering tour de force, this scheme cost some £4 billion in today's money, and even at the time it was admitted that it was only really needed for those brief periods, like the interval in Coronation Street, when millions of electric kettles were, and are, switched on simultaneously. The notion of restraint in the use of electricity never entered the equation, as is still the case today despite all the environmental perils that have been clearly spelled out. Llanberis has undoubtedly benefited from jobs in the power station and in the Electric Mountain visitor centre and, apart from the daily rise and fall of Llyn Peris, the scheme is unobtrusive from the valley. The same cannot be said of **Marchlyn Mawr**, high up on Elidir Fawr, which was altered irrevocably by the new dam and the major access roads leading to it and to the surge pond lower down.

Daeth dau brif achos y ddegawd i'r golwg ym 1970. Arweiniodd cais **Rio Tinto Zinc**, cwmni rhyngwladol, i gael cloddio am gopr ym Meirionnydd a threillio am aur yn aber yr Afon Mawddach at ymgyrch enfawr ble gwelwyd y Gymdeithas yn uno â chyrff eraill am y tro cyntaf; Cyngor Mynydda Prydain er enghraifft, Cyfeillion y Ddaear, Cymdeithas y Cerddwyr, y CPRW ac eraill. Yn dilyn Ymchwiliad Cyhoeddus, rhoddodd Ysgrifennydd Gwladol Cymru ganiatâd iddynt wneud gwaith drilio archwiliadol am flwyddyn. Os byddai'n llwyddiant un canlyniad yn unig fyddai. Er hyn i gyd ni fu i RTZ barhau â'r prosiect, ond achubwyd Eryri gan bris copr yn fyd-eang, yn hytrach na gan y teimladau angerddol a gafodd eu cyniwair yn genedlaethol. Un canlyniad positif oedd Eryri, the Mountains of Longing, casgliad bwrdd coffi o ffotograffiaeth wych gan Philip Evans (ei luniau ef sy'n cyfoethogi'r Adroddiadau Blynyddol yng nghanol y saithdegau hefyd) ac sy'n cael eu cefnogi gan sylwadau craff a darllenadwy Amory Lovins, amgylcheddwr o America.

Yr achos arall oedd cynllun storio **pwmp Dinorwig**, a byddai effaith y cynllun hwn yn newid y Glyderau gogleddol am byth. Er ei fod yn tour-de-force peiri-anyddol, 'roedd cost y cynllun hwn tua phedwar biliwn o bunnoedd yn arian heddiw. Yr adeg honno, hyd yn oed, cyfaddefwyd nad oedd ei angen ond ar adegau prin ac am gyfnodau byr iawn, fel yn ystod yr hysbysebion a ddangosir yng nghanol Coronation Street, pan oedd miliynau o degellau trydan yn cael eu defnyddio'r un pryd - mae'r un peth yn wir heddiw. Ni fu i'r syniad o bwyllo wrth ddefnyddio trydan groesi'r meddwl, a 'rydym wrthi o hyd er gwaethaf yr holl beryglon amgylcheddol sydd yn gwbl eglur erbyn hyn. Heb os nac oni bai mae Llanberis wedi elwa o'r swyddi yn yr orsaf bŵer ac yng nghanolfan ymwelwyr y Mynydd Trydan, ac arwahan i newid dyddiol yn lefelau dŵr Llyn Peris, nid yw'r cynllun yn amlwg o'r dyffryn. Ni ellir dweud yr un peth am **Marchlyn Mawr** sydd i fyny'n uchel ar Elidir Fawr. Trawsnewidiwyd Marchlyn Mawr yn ddi-droi'n-ôl gan yr argae newydd a'r prif ffyrdd mynediad sy'n arwain tuag ato ac i'r pwll ymchwydd sy'n nes i lawr.

The battle over Dinorwic was relatively brief and soon lost. What engaged the Society for years afterwards was the completely unauthorized dead-straight tarmac road running from the A5 up to **Ffynnon Llugwy** in the Carneddau. When the Dinorwic scheme was approved by Act of Parliament because it was felt to be in the national interest, no mention was made of Ffynnon Llugwy. Marchlyn Mawr had for long been the water supply for Bethesda and it was blithely assumed that it would continue to be so. When it was discovered that the continually recycled water had become too turbid for this, it was agreed that Ffynnon Llugwy, to which the arctic char from Llyn Peris had already been transferred, should be used instead. Fair enough, Bethesda needed water. But with breath-taking arrogance, the Central Electricity Generating Board chose to consult no-one before building their new road and starting work on the pipeline. Before the authorities, or anyone else, woke up to what was happening, it was too late.

Despite years of remonstrance by letter, telephone and personal appeal, all efforts to have the road reinstated, or at least landscaped, came to nought. It remains to this day a visually intrusive blot on the Ogwen landscape and a reminder that governments, of whatever hue, pay little heed to democratic process when it conflicts with corporate power.

On a more positive note, a similar attempt to present the planners with a *fait accompli*, albeit on a much smaller scale, was thwarted by a highly effective piece of direct action. A developer started dumping slate waste onto a field in **Nant Gwynant** in preparation for an unauthorized road leading to an unauthorized caravan site. A hole was knocked in the roadside wall to create access for the lorries. Park officials were made aware of what was going on but were unable to serve an Enforcement Order to prevent it without the sanction of the (by then) National Park Committee, which met only three or four times a year. The developer refused to back off so Tom Kinsey, a Society member who lived nearby, simply parked his battered old landrover in front of the gap in the wall. A fleet of ten lorries, loaded with more slate waste, arrived. Tom sat firm. He was doing nothing illegal and one piece of bloody-mindedness could be answered by another. Inside the field, the driver of a bulldozer, employed to level the waste, was looking as though he might take matters into his own hands when Chris Brasher arrived on the scene. A well-known athlete, journalist and entrepreneur, Brasher was a personal friend of Esmé and an influential member of the Society until his death in 2003. Whether it was his breezily confident, patrician manner or a suspicion that it might be a mistake to touch his expensive-looking sports car, either way the bulldozer stayed put. The stand-off continued for two days and two nights, but on the afternoon of the third day the developer reluctantly admitted defeat. That night at the Pen y Gwryd, the Society, for once, had something to celebrate.

Right ~The CEGB road to Ffynnon Llugwy, built without so much as by your leave, in the seventies. **RC**

Dde ~ Ffordd y CEGB i Ffynnon Llugwy a adeiladwyd yn y saithdegau heb unrhyw fath o drafodaeth yn y byd. **RC**

Brwydr fer oedd y frwydr am Dinorwig ac fe'i collwyd. Asgwrn y gynnen i'r gymdeithas am rai blynyddoedd wedyn oedd y ffordd darmac cwbl syth oedd heb ei hawdurdodi, sy'n rhedeg o'r A5 i **Ffynnon Llugwy** yn y Carneddau. Pan gafodd cynllun Dinorwig ei gymeradwyo gan Ddeddf Seneddol, oherwydd ei fod yn cael ei ystyried o ddiddordeb cenedlaethol, nid oedd sôn am Ffynnon Llugwy. Marchlyn Mawr oedd wedi bod yn cyflenwi dŵr i Bethesda a chymerwyd yn ganiataol y byddai'r drefn hon yn parhau. Darganfuwyd fod y dŵr oedd yn cael ei ail-gylchu droeon yn rhy gymylog, ac fe gytunwyd y dylid defnyddio Ffynnon Llugwy, er bod torgochiaid Llyn Peris eisoes wedi cael eu symud yno. Digon teg, 'roedd yn rhaid i Bethesda gael dŵr, ond â thrahauster syfrdanol penderfynodd y Bwrdd Cynhyrchu Trydan Canolog na fyddai angen ymgynghori â neb cyn adeiladu eu ffordd newydd a dechrau gwaith ar y lein beipiau. Erbyn i'r awdurdodau, a phawb arall, sylweddoli beth oedd ar droed, 'roedd hi eisoes yn rhy hwyr. Er gwaethaf blynyddoedd o lythyru, o ffonio ac o apelio personol, methiant fu unrhyw ymgais i adfer yr hen ffordd, na hyd yn oed i dirlunio rhywfaint ohoni. Hyd y dydd heddiw mae'n para i fod yn nam ar dirwedd Dyffryn Ogwen, ac yn atgof nad yw llywodraethau, beth bynnag eu lliw, yn gwneud fawr o sylw o'r broses ddemocratig pan ddaw benben â grym corfforaethol.

Ar nodyn mwy positif, llwyddwyd i wrthwynebu cynnig tebyg i osod fait accompli gerbron y cynllunwyr, er ar raddfa tipyn yn llai, drwy weithred uniongyrchol hynod effeithiol. Dechreuodd un datblygwr ddadlwytho gwastraff llechi ar gae yn **Nant Gwynant** wrth baratoi ar gyfer adeiladu ffordd oedd heb ei hawdurdodi ac yn arwain i safle garafannau oedd hefyd heb gael caniatâd. Cafodd bwlch ei wneud yn y wal ar ochr y ffordd er mwyn creu mynedfa i'r lorïau. Daeth swyddogion y Parc i wybod beth oedd yn digwydd, ond nid oeddynt yn medru cyflwyno Gorchymyn Gorfodaeth i wahardd y gwaith heb ganiatâd Pwyllgor y Parc Cenedlaethol (erbyn hynny), a

oedd ond yn cyfarfod tair neu bedair gwaith y flwyddyn. Gwrthododd y datblygwr roi'r gorau i'r gwaith, felly bu i Tom Kinsey, aelod o'r Gymdeithas oedd yn byw gerllaw, barcio'i hen landrofer ffyddlon o flaen y bwlch. Cyrhaeddodd fflyd o ddeg lori yn cario mwy o wastraff llechi. Safodd Tom yn gadarn. Nid oedd yn gweithredu'n anghyfreithlon a digon hawdd oedd ymateb i un enghraifft o ystyfnigrwydd gydag un arall. Yn y cae 'roedd yn ymddangos fod gyrrwr un o'r teirw dur, a gyflogwyd i lefelu'r gwastraff, ar fin ymateb yn hyll, pan gyrhaeddodd Chris Brasher. 'Roedd Brasher yn athletwr, yn newyddiadurwr ac yn entrepreneur; 'roedd hefyd yn ffrind personol i Esmé ac yn aelod dylanwadol o'r gymdeithas hyd ei farwolaeth yn 2003. Tybed ai ei ymddygiad hyderus, bonheddig neu ryw amheuaeth efallai mai camgymeriad fyddai cyffwrdd â'i sbortscar drudfawr, berswadiodd y tarw dur i aros yn ei unfan. Parhaodd hyn am ddeuddydd a dwy noson, ond ar brynhawn y trydydd diwrnod bu raid i'r datblygwr dderbyn yn anfodlon iddo golli'r frwydr. Y noson honno, am unwaith, bu gan y Gymdeithas achos i ddathlu yn y Pen-y-Gwryd.

Chwith ~ Nant Gwynant, un o emau Parc Cenedlaethol Eryri. **DF**

Left ~ Nant Gwynant, one of the jewels of the Snowdonia National Park. **DF**

Chwith ~ Maen y Bardd, siambr gladdu neolithig uwchben Rowen. **APCE**
Uchod ~ Y Rhinogydd. **APCE**

Left ~ Maen y Bardd, neolithic burial chamber above Rowen. **SNPA**
Above ~ Y Rhinogydd. **SNPA**

Drosodd ~
(chwith) Lluwch eira yn Nyffryn Conwy. **PA**
(dde) Maes Caradog, Nant Ffrancon. **PA**

Overleaf ~
(left) Snowdrift in the Conwy Valley. **PA**
(right) Maes Caradog, Nant Ffrancon. **PA**

The Society

The second decade of the Society's life was a period of consolidation and growing up, if not quite coming of age. At this time **Esmé Kirby** gave up running the farm and devoted herself to the Society. At least that was what the new farm manager at Dyffryn thought was going to happen. The reality was rather different .... Be that as it may, the Annual Reports – much more reader friendly now courtesy of photographers like Philip Evans, Malcolm Griffiths and John Farrar – reveal that Esmé was indefatigable not just in attending meetings, reading reports and writing letters, but also in galvanising others into action. Realising that generalised appeals for help rarely produced a response, she had no compunction about picking up the phone and making direct requests which were hard to refuse. Sometimes members would receive a personal letter asking them to write a letter of objection. Nearly 800 such letters were received by the Inspector at the Public Inquiry into the A470 Minfford-Dolwyddelan scheme. When a proposal to reopen a gold mine at Gwynfynydd in Coed y Brenin was being discussed by the Park Committee, several letters from Society members were read out, influencing the Committee's initial decision to refuse permission. The writers of those letters were personally thanked by Esmé. Nor did she shy away from calling in favours or using friends in high places when all else failed; witness the removal by army helicopter of the electricity poles from the Llanberis to Rhyd-ddu track. Although Michael Senior's plan for formalised 'vigilante' coverage of the Park and attempts to persuade centres and organizations to 'Adopt a Mountain' seem to have come to nothing, Esmé was kept well informed by her own network of contacts.

1977-87
TYFU I FYNY
GROWING UP

❧ It is clear that Esmé was increasingly regarded as a thorn in the flesh by the authorities she so repeatedly harangued. The County Surveyor, for one, stopped replying to her letters. Community Councils did not always welcome her intervention in their affairs. To the public at large, the Society was acquiring a reputation for resisting change of any sort on principle. The vehement opposition to a new style of phone box left even Society members a little bemused. It was not in Esmé's nature to keep her powder dry, to give way on one issue in order to forge alliances and be more effective on another. Nor did her attitude to the Welsh language win her friends outside her immediate circle. For her, translation, verbal or written, was an expensive irrelevance given that everyone understood English. Such a view might have been acceptable when Esmé first came to live in Wales; not so in the nineteen-eighties.

❧ What was remarkable about Esmé, though, was that she never gave up. She could see Snowdonia suffering 'Death by a Thousand Cuts' before her eyes and it hurt immeasurably. A lesser person would have thrown in the towel, or at least sought to pass the burden on to someone else. But Esmé battled on, undaunted, fighting that endless rearguard action that is the fate of all conservationists.

Above ~ Esmé Kirby, who continued to be the dominant force behind the Society, skilled at enlisting help from members and others. **SNPA**

Uchod ~ Esmé Kirby, y grym amlycaf y tu ôl i'r Gymdeithas o hyd, â dawn arbennig i berswadio aelodau a phobl eraill i gynorthwyo. **APCE**

Y Gymdeithas

Gwelwyd y Gymdeithas yn tyfu a chryfhau yn ystod ail ddegawd ei hoes, er nad oedd eto wedi aeddfedu'n gyfan gwbl. Yn ystod y cyfnod hwn rhoddodd **Esmé Kirby**'r gorau i redeg y fferm a chanolbwyntiodd yn llwyr ar y Gymdeithas. O leiaf, dyna dybiodd rheolwr newydd y fferm yn Dyffryn. Mewn gwirionedd 'roedd y sefyllfa'n dra gwahanol ... Beth bynnag am hynny, mae'r Adroddiadau Blynyddol - oedd yn llawer iawn haws i'w darllen erbyn hyn, diolch i gyfraniad ffotograffwyr fel Philip Evans, Malcolm Griffiths a John Farrar - yn dangos fod Esmé'n ddiflino wrth fynychu cyfarfodydd, darllen adroddiadau ac ysgrifennu llythyrau, ond 'roedd hefyd yn symbylu eraill i weithredu. 'Roedd wedi sylweddoli nad oedd gwneud apêl cyffredinol yn debygol o ennyn ymateb, felly byddai'n codi'r ffôn ac yn gwneud ceisiadau uniongyrchol oedd yn anodd i'w gwrthod. Weithiau byddai aelodau'n derbyn llythyr personol yn gofyn iddynt ysgrifennu llythyr o wrthwynebiad. Derbyniwyd 800 o lythyrau gan yr Arolygwyr yn yr Ymchwiliad Cyhoeddus i gynllun yr A470 o Minffordd i Ddolwyddelan. Yn ystod trafodaeth Pwyllgor y Parc ynglŷn ag ail-agor mwynglawdd aur yng Ngwynfynydd, Coed y Brenin, darllenwyd nifer o lythyrau gan aelodau'r Gymdeithas a ddylanwadodd ar benderfyniad y Pwyllgor i wrthod rhoi caniatâd. Diolchodd Esmé'n bersonol i bob un o awduron y llythyrau hynny. Nid oedd yn swil o ofyn cymwynas pan fyddai angen, nag o fynd ar ofyn ei chyfeillion dylanwadol, fel yn achos symud y polion trydan o'r llwybr o Lanberis i Ryd-ddu gan hofrennydd y fyddin. Er na lwyd-dodd cynllun Michael Senior i drefnu 'gwarchodwyr' i oruchwylio'r Parc a methiant oedd ymdrechion i geisio dwyn perswâd ar ganolfannau a chymdeithasau eraill i Fabwysiadu Mynydd, cafodd Esmé wybod y cyfan oedd yn digwydd drwy ei rhwydwaith o gysylltiadau.

◤◤ Mae'n amlwg erbyn hyn, fodd bynnag, fod Esmé'n dipyn o ddraenen yn ystlys yr awdurdodau. Nid oedd y Syrfëwr Sir, er enghraifft, yn ateb ei llythyrau. Nid oedd y Cynghorau Cymuned bob amser yn croesawu ei hymyrraeth. 'Roedd y cyhoedd yn gyffredinol yn dechrau ystyried y Gymdeithas yn gorff oedd yn gwrthwynebu unrhyw fath o newid fel mater o egwyddor. 'Roedd hyd yn oed aelodau o'r Gymdeithas ei hun wedi eu drysu braidd â'r gwrthwynebiad ffyrnig a gafwyd i fath newydd o flwch ffôn. 'Roedd cyfaddawd o unrhyw fath yn gwbl wrthun i Esmé. Ni fyddai'n breuddwydio am ildio unrhyw bwynt er mwyn ennill un arall. Nid oedd ei hagwedd tuag at yr iaith Gymraeg chwaith yn ennyn cydymdeimlad y tu allan i'w chylch personol o ffrindiau. Yn ei barn hi, gan fod pawb yn deall Saesneg, 'roedd cyfieithu llafar neu ysgrifenedig yn gwbl amherthnasol, ac yn wastraff arian. Efallai byddai barn o'r fath wedi bod yn dderbyniol yn y cyfnod pan ddaeth i fyw i Gymru'n gyntaf, ond nid felly yn y 1980au.

◤◤ Yr hyn oedd yn hynod ynglŷn ag Esmé, fodd bynnag, oedd nad oedd byth yn rhoi'r ffidil yn y to. 'Roedd yn loes calon ganddi weld Eryri'n cael ei ddarnio'n dawel bach a bob yn dipyn o flaen ei llygaid. Byddai cymeriad gwannach wedi ildio ers tro, neu adael i eraill ysgwyddo'r baich. Daliodd Esmé ymlaen yn eofn i ymladd y frwydr rwystredig, ddiflino sy'n rhan annatod o ffawd bob cadwraethwr.

However, even Esmé recognized that she could not go on for ever. The establishment of a **Capital Fund**, the interest from which would help to pay for salaried staff and an office in the future, became a priority along with the recruitment of new members. The production of a membership leaflet in 1982 was a first for the Society, although not before Esmé had rewritten the text prepared by members of the Committee. Also a first was a grant from the Countryside Commission (later subsumed with the Nature Conservancy into the Countryside Council for Wales), which felt that the Society had a valuable role to play in engaging the general public. One extremely successful fund-raising initiative was the **annual plant sale** over the Whit holiday weekend. First held in 1982, over the next ten years it raised over £50,000, largely thanks to the donation of 'seconds' of Reebok training shoes by Olympic medallists Chris Brasher and John Disley. The success of the Capital Fund led to the appointment of Jenny James as Administrator. Jenny seemed ideal for the job – young and enthusiastic yet highly capable and with a wide range of work experience. Although the original idea came from Jim Irving's ten-year-old grandson Julian, Jenny was the inspiration behind the **Young Snowdonians,** which for a while had 150 members. Unfortunately, Jenny was too capable and too prone to think for herself. After two and a half years of hard but too often frustrating work at Dyffryn, she resigned. She was by no means the first casualty of Esmé's inability to delegate – Philip Evans had resigned as Hon. Secretary in 1980, Harvey Lloyd was growing increasingly restive in the same role, and the farm manager had moved on, disappointed and embittered – and she most certainly would not be the last.

Above ~ The annual plant sale, an important fund-raising event for the Society since 1982. **SS**

Uchod ~ Yr arwerthiant planhigion blynyddol, gweithgaredd codi arian pwysig i'r Gymdeithas ers 1982. **CE**

Socially the Society was becoming more active, with a series of slide talks and lectures as well as the well-established programme of walks led by knowledgeable members like Michael Senior and John Holman, Warden of Bala Youth Hostel. Another innovation was the **Dry-stone Walling Competition** which is still a popular annual event today. It was a response to the abysmal standard of walling exhibited at most road improvement sites and on bridge repairs at that time. Although this was largely due to budgetary constraints, the competition has contributed to the local revival of walling from dying art to thriving profession. The first competition attracted a lot of media attention locally, but the event that captured the imagination of the national dailies and several television companies was the conveying of forty gallons of water containing **frogspawn** from Dyffryn to Huntingdon. Eric Slote, a Society member from the other side of Britain, had discovered that farming practices in East Anglia had all but wiped out the local frog population, and Esmé was delighted to help.

Er hynny, sylweddolodd Esmé hyd yn oed, na fedrai barhau yn ddiddiwedd. Daeth sefydlu **Cronfa Ganolog** yn flaenoriaeth, ynghyd â recriwtio aelodau newydd. Byddai'r llog o'r Gronfa'n gymorth i dalu am swyddfa a staff cyflogedig yn y dyfodol. Cam newydd sbon i'r Gymdeithas oedd cyflwyno ffurflen aelodaeth ym 1982, er nid cyn i Esmé ail-ysgrifennu'r testun a baratowyd gan aelodau'r Pwyllgor. Hefyd, am y tro cyntaf, derbyniwyd cymhorthdal gan y Comisiwn Cefn Gwlad (a gynhwyswyd yn ddiweddarach, ynghyd â'r Warchodfa Natur, oddi mewn i Gyngor Cefn Gwlad Cymru). Teimla'r Comisiwn fod gan y Gymdeithas gyfraniad gwerthfawr i'w gwneud pan fyddai angen cysylltu â'r cyhoedd. Un llwyddiant arbennig wrth godi arian oedd **y gwerthiant planhigion blynyddol** yn ystod penwythnos y Sulgwyn. Fe'i cynhaliwyd gyntaf ym 1982, a thros y ddegawd nesaf codwyd dros £50,000, diolch yn bennaf i werthiant yr esgidiau Reebok ail-law a roddwyd gan Chris Brasher a John Disley, enillwyr yn y gemau Olympaidd. Yn sgil llwyddiant y Gronfa Ganolog apwyntiwyd Jenny James yn Weinyddwr. 'Roedd yn ymddangos fod Jenny yn berffaith i'r swydd - yn ifanc a brwdfrydig, yn hynod fedrus, a chanddi ystod eang o brofiad gwaith. Jenny oedd yr ysbrydoliaeth tu ôl i'r **'Young Snowdonians'** - er mai Julian, ŵyr deg oed Jim Irvine, gafodd y syniad gwreiddiol - ac am gyfnod 'roedd ganddynt 150 o aelodau. Yn anffodus, 'roedd Jenny'n rhy fedrus ac yn dueddol o gymryd yr awenau i'w dwylo'i hun. Ar ôl dwy flynedd a hanner o waith a oedd yn galed ond, yn rhy aml, yn rhwystredigaethus, 'roedd wedi ymddiswyddo. Nid hi oedd y cyntaf o bell ffordd i golli ei swydd oherwydd anallu Esmé

i ymddiried mewn eraill - 'roedd Philip Evans wedi ymddiswyddo fel Ysgrifennydd Anrhydeddus ym 1980, a Harvey Lloyd yn fwyfwy anniddig yn yr un swydd, ac 'roedd rheolwr y fferm wedi gadael wedi'i siomi a'i chwerwi. Yn bendant nid Jenny fyddai'r olaf.

'Roedd y Gymdeithas yn gwneud llawer iawn mwy gyda'r cyhoedd erbyn hyn, yn trefnu cyfres o ddarlithoedd a sgyrsiau gyda sleidiau, yn ogystal â'r rhaglenni teithiau cerdded oedd eisoes wedi'u sefydlu, o dan ofal aelodau profiadol fel Michael Senior a John Holman, Warden Hostel Ieuenctid Bala. Datblygiad arall oedd y **Gystadleuaeth Adeiladau Waliau Cerrig Sychion** sy'n dal i fod yn weithgarwch blynyddol poblogaidd. Ymateb oedd hwn i safon

trychinebus y waliau oedd yn cael eu codi wedi i ffyrdd gael eu gwella a phontydd eu trwsio. Er mai cyfyngiadau yn y gyllideb oedd bennaf gyfrifol, mae'r gystadleuaeth wedi cyfrannu at adfywio'r grefft o adeiladu waliau, ac erbyn hyn mae'r alwedigaeth hon yn ffynnu. Bu i'r gystadleuaeth gyntaf dderbyn cryn sylw gan y cyfryngau lleol, ond y digwyddiad a lwyddodd i ddenu sylw'r papurau dyddiol cenedlaethol a nifer o gwmnïau teledu oedd trosglwyddo deugain galwyn o ddŵr ynghyd â'r **grifft llyffant** oedd yno, o Dyffryn i Huntingdon. 'Roedd Eric Slote, aelod o'r Gymdeithas o ben arall Prydain, wedi darganfod fod arferion ffermio yn East Anglia wedi dinistrio poblogaeth y llyffantod lleol bron yn llwyr, a 'roedd Esmé wrth ei bodd yn helpu.

This decade also saw the Society venture into publishing. *The Old Cottages of Snowdonia,* by Hughes and North, was first published in 1908. At the instigation of Society members Alan Payne and Ian Stainburn, the book was reissued by the Society with a new introduction, photographs and maps, and an appendix detailing the current state of the cottages listed. The descendants of the authors generously waived their rights to royalties so that all profits could go to the Society. The success of this project prompted John and Elizabeth Holman, helped by Harvey Lloyd, to do the same for *The Old Churches of Snowdonia*, a much larger book by the same authors. It was a labour of love, requiring days of fieldwork visiting every church, holy well and stone mentioned in the original.

Above (left to right) ~ Llanrychwyn Church, Trefriw, a historically and architecturally fascinating building described in *The Old Churches of Snowdonia*. **RC** ~ The 18th-century Lych gate, Llanrychwyn Church. **RC**

Uchod (chwith i'r dde) ~ Eglwys Llanrhychwyn, Trefriw, adeilad hanesyddol a hynod ei bensaernïaeth a ddisgrifiwyd yn *The Old Churches of Snowdonia*. **RC** ~ Porth Mynwent Eglwys Llanrhychwyn o'r 18fed ganrif. **RC**

Isod ~ Hen Eglwys Llangelynnin. Mae rhannau ohoni'n dyddio nôl i'r ddeuddegfed ganrif, a saif yn uchel uwchben Dyffryn Conwy, hefyd i'w gweld yn *The Old Churches of Snowdonia*. **RC**

Below ~ Llangelynin Old Church, with parts dating back to the 12th- century, situated high above the Conwy Valley and also featured in *The Old Churches of Snowdonia*. **RC**

Yn y ddegawd hon mentrodd y Gymdeithas i fyd cyhoeddi am y tro cyntaf. 'Roedd *The Old Cottages of Snowdonia*, gan Hughes a North wedi ymddangos am y tro cyntaf ym 1908. Ar anogaeth Alan Payne ac Ian Stainburn, dau aelod o'r Gymdeithas, ail-gyhoeddwyd y llyfr gyda chyflwyniad newydd, ffotograffau, mapiau ac atodiad yn manylu ar gyflwr presennol y bythynnod oedd yn cael eu rhestru. Bu i ddisgynyddion yr awduron hepgor eu hawliau am

freindal fel bod yr holl elw'n mynd i'r Gymdeithas. Yn dilyn llwyddiant y prosiect hwn aeth John ac Elizabeth Holman ati, gyda chymorth Harvey Lloyd, i wneud yr un fath gyda *The Old Churches of Snowdonia* gan yr awduron, er bod y llyfr hwn tipyn yn swmpus. Llafur cariad oedd hwn a ddibynnai ar ddyddiau o waith maes yn ymweld â phob eglwys, ffynnon sanctaidd a charreg oedd sôn amdanynt yn y gwreiddiol.

Landscape & Planning

This was a depressing period for the Society and for Snowdonia in terms of both landscape and biodiversity. The appearance of the countryside and what grew and lived on it were determined almost entirely by agricultural or forestry interests and both were essentially unregulated.

The decade opened with the purchase and planting of the wild moorland of **Blaen Cwm Prysor** farm on the road from Bala to Trawsfynydd by the Economic Forestry Group, against the express wishes of the Park Officers and Committee. At the same time the **Forestry Commission** announced that it intended to plant another five million acres of upland Britain with Christmas trees or their Alaskan equivalent. That the Forestry Commission backed off from proposals to plant in the Ogwen Valley and in lovely Cwm Pennant in the face of a storm of protest brought small crumbs of comfort, but only crumbs. In general, the Commission was still a law unto itself. These were the Thatcher years in politics, when organizations like the Forestry Commission were compelled to realise in a hard-nosed manner whatever assets they had regardless of the social costs. In Snowdonia this led to the sale of a number of cottages that had originally been smallholdings for forestry workers. The Commission's insistence on selling these properties by sealed bid rather than at market value meant that the vast majority were sold as holiday homes. The episode created enormous illfeeling locally as in nearly every case a young family who wished to live there was outbid by well-to-do weekenders from the south of England. Nationalist feeling was running high and these were the days of the slogan 'Come home to a real fire – buy a cottage in Wales ...'.

If the only control on Forestry plantings was a toothless Consultative Committee, farmers continued to do as they pleased on their land. The Society, like the National Park Authority, could only look on helplessly. One consequence of this laissez-faire approach, encouraged by over-generous grants from the European Union's Common Agricultural Policy (CAP), was a rash of crudely built **agricultural roads**. Some, like those on Cader Idris, were hideous blemishes on much-loved landscapes; others, like those on Drum in the Carneddau and Rowen above Penmachno, were driven right to the summits of hitherto quiet, remote hills; whilst in some cases, like the northern flank of Moel Siabod, the farmer added insult to injury by denying public access to a road built with public funds. What made these roads all the more galling was the knowledge that many were built not because they were necessary or even useful, but because they made a quick buck for the farmer. Typically a grant would be available at a fixed price for a given distance, the driver of a JCB would contract to hack a route up the mountainside for an agreed sum, and the farmer would pocket the difference. Usually the roads were poorly drained and poorly aligned, and no attempt was made to landscape the spoil removed or the scarring created. Today, they are more often used by mountain bikers than by farmers. (On that theme, **trials bikes** off-roading in the northern Carneddau are first mentioned as a problem in 1981.)

Above ~ Cwm Pennant, amazingly once considered as a site for a conifer plantation. **SL**

Uchod ~ Cwm Pennant, anodd coelio ond fe ystyriwyd y fan hon unwaith fel safle ar gyfer plannu coed conwydd. **SL**

Tirwedd a Chynllunio

Yn nhermau tirwedd ac amrywiaeth biolegol 'roedd hwn yn gyfnod du i'r Gymdeithas ac i Eryri. 'Roedd y penderfyniadau ynglŷn ag ymarweddiad cefn gwlad, yr hyn oedd yn tyfu yno ac yn byw arno, bron yn llwyr ddibynnol ar yr hyn oedd yn bwysig i amaethyddiaeth a choedwigaeth, a'r ddau hynny'n gweithredu, fwy neu lai, heb unrhyw reolaeth.

Ar ddechrau'r ddegawd prynwyd a phlannwyd rhostir gwyllt fferm **Blaen Cwm Prysor**, sydd ar y ffordd rhwng Bala a Trawsfynydd, gan y Grŵp Coedwigaeth Economaidd, yn gwbl groes i ddymuniadau Swyddogion a Phwyllgor y Parc. Ar yr un adeg cyhoeddodd y **Comisiwn Coedwigaeth** fwriad i blannu pum miliwn acer ychwanegol o goed Nadolig, neu goed tebyg iddynt o Alaska, ar ucheldiroedd Prydain. Daeth rhywfaint o gysur yn sgil penderfyniad y Comisiwn Coedwigaeth i beidio a gwireddu'r cynllun i blannu yn Nyffryn Ogwen ac yng Nghwm Pennant yng ngwyneb protestio ffyrnig. Yn gyffredinol, fodd bynnag, tueddai'r Comisiwn i wneud fel y mynno. Yn wleidyddol, rhain oedd blynyddoedd Thatcher. 'Roedd yn rhaid i gymdeithasau fel y Comisiwn Coedwigaeth realeiddio faint bynnag o asedau oedd ganddynt mewn dull gwbl galon-galed, heb ystyried y gost gymdeithasol. Yn Eryri arweiniodd hyn at werthu nifer o fythynnod a fu'n gartrefi i weithwyr y goedwigaeth. Oherwydd i'r Comisiwn fynnu i'r tai gael eu gwerthu drwy gynigion wedi'u selio, yn hytrach na'u gwerth ar y farchnad, gwerthwyd y mwyafrif ohonynt fel tai haf. Creodd y mater hwn ddrwgdeimlad enbyd yn lleol. Ym mhob achos bron methodd teuluoedd ifanc a chystadlu'n ariannol ag ymwelwyr penwythnos cyfoethog o dde Lloegr. 'Roedd yr ymdeimlad o genedlaetholdeb yn gryf, a dyma ddyddiau'r slogan 'Come home to a real fire – buy a cottage in Wales ...'.

Gan mai Pwyllgor Ymgynghorol gwan oedd unig reolwr plannu'r Goedwigaeth, 'roedd y ffermwyr yn cael rhwydd hynt i wneud yr hyn a fynnent ar eu tir. Yr unig beth allai'r Gymdeithas ei wneud oedd gwylio heb fedru cyflawni dim, yn union fel Awdurdod y Parc Cenedlaethol. Un canlyniad o'r agwedd laissez-faire hon, ynghyd ag anogaeth grantiau hael gan Bolisi Amaethyddol Cyffredin (PAC) y Gymuned Ewropeaidd, oedd yr holl **ffyrdd amaethyddol** amrwd a ymddangosodd. 'Roedd rhai ohonynt, fel y rheiny ar Gader Idris, yn greithiau hyll ar olygfeydd hardd; 'roedd eraill, fel y rheiny ar Drum yn y Carneddau a Rowen, uwchben Penmachno, yn cyrraedd copa bryniau oedd wedi bod hyd yma'n dawel ac anghysbell; ac mewn rhai achosion, fel ar ochr ogleddol Moel Siabod, rhoddodd y ffermwr halen ar friw drwy wrthod mynediad i'r cyhoedd i ffordd oedd wedi'i hadeiladu gan arian cyhoeddus. 'Roedd y sefyllfa'n brifo fwy fyth oherwydd i'r ffyrdd gael eu hadeiladu er mwyn i'r ffermwr wneud ceiniog sydyn, ac nid oherwydd eu bod yn angenrheidiol. Yn nodweddiadol byddai grant ar gael am bris penodol am hyn a hyn o bellter, byddai gyrrwr JCB yn cytuno i greu llwybr i fyny ochr y mynydd am swm arbennig o arian, a byddai'r gwahaniaeth yn mynd i goffrau'r ffermwr. Fel arfer 'roedd y ffyrdd wedi'u halinio'n sâl, 'roedd y system ddraenio'n wael, ac ni fu unrhyw ymdrech i dirlunio'r gweddill na gwella'r creithiau a grëwyd. Heddiw, fe ddefnyddir y ffyrdd hyn gan feicwyr mynydd yn amlach na gan ffermwyr. (Ar y pwnc hwnnw, fe sonnir am broblemau **beiciau treialon** yng ngogledd y Carneddau am y tro cyntaf ym 1981).

Uchod ~ JCB yn ysbeilio llechwedd uwchben Dolwyddelan, gweithred oedd o ddim lles i neb. **RC**

Above ~ JCB despoiling a hillside above Dolwyddelan for negligible benefit to anyone. **RC**

Perhaps it was contemplating what farmers could get away with or perhaps it was taking a leaf out of the book of the CEGB, but **Welsh Water** contributed to the devastation with unauthorized and insensitive widening of green tracks to reservoirs at Anafon in the Carneddau and to Bodlyn and Eiddau Mawr in the Rhinogydd. In the case of Anafon, although it was on National Trust land, a standing stone was destroyed and several other archaeological sites damaged. Out of this incident it emerged that National Park Wardens 'as a matter of policy' never reported what they saw or heard in the course of their work lest they estrange the locals. As Esmé observed, 'an extraordinary situation' which appeared to be unique to the Snowdonia National Park. Undeterred by the furore this caused, only a few years later Welsh Water mindlessly trashed the old coach road leading to Pont Scethin in the southern Rhinogydd, in Jim Perrin's words "one of the most fragile and exquisite landscapes in the whole of Wales". The savage diatribe this provoked from Perrin actually induced the Chairman of Welsh Water to do something about it.

In this era the Tory government's commitment to the unfettered pursuit of wealth, combined with the **CAP**'s obsession with production, or rather over-production, at any cost, was a catastrophe for conservation in Britain. Landowners were paid to grub up hedges, reseed hay meadows, drain wetlands and cover their land with phosphates, nitrates, herbicides and pesticides with not a thought for ecological consequences or biodiversity, let alone public enjoyment of wildlife or landscape. The **1981 Countryside Act** epitomised this attitude with its total lack of regulation for forestry and agriculture and its introduction of compensation for those who were denied access to CAP grants because their land contained a Site of Special Scientific Interest. Not surprisingly, applications to develop such sites increased dramatically but the money was not made available to pay compensation. All too often, the sites were developed as a result. The Annual Reports reflect a general sense of frustration nationwide at the destruction being wrought.

As a Nominated Member of the National Park Committee for nine years, Esmé was in a position to monitor planning applications and to successfully influence a few planning decisions, such as saving the chimneys at **Plas Tan y Bwlch** from demolition. There were also a number of positive outcomes achieved in partnership with other conservation bodies on bigger issues, such as a tunnel rather than a bridge for the **expressway at Conwy** and the use of a tunnel rather than an obtrusive concrete fish ladder to help spawning salmon up the **Conwy Falls** above Betws y Coed. Esmé's suggestion of a courtesy path along the **Arans** seems to have been a contributory factor in breaking the deadlock over access in that area, although the Society was dismayed at the Park Authority making payments to the farmers concerned. Plans for a refuse-crushing plant at **Morfa Harlech** and the reopening of the **Sygun copper mine** outside Beddgelert as a tourist attraction were both opposed unsuccessfully, but Esmé, for one, was happy to admit later that her fears had been unfounded. Other battles fought and lost, which seemed important at the time but ultimately resolved themselves due to economic factors, were the expansion of **Gwynfynydd gold mine** and the retention of petrol pumps at Pen y Gwryd, a bee in Esmé's bonnet for years.

Left ~ Pont Scethin, site of an act of corporate vandalism by Welsh Water. **RC**

Chwith ~ Pont Sgethin, safle gweithred o fandaliaeth gorfforedig gan Ddŵr Cymru. **RC**

Cyfranodd **Dŵr Cymru** at y difrod hefyd, naill ai wrth ragweld yr hyn allai'r ffermwyr ei wneud yn gwbl answyddogol, neu wrth ddilyn esiampl CEGB. Bu iddynt ehangu'r traciau gwyrdd oedd yn arwain at y cronfeydd dŵr yn Anafon yn y Carneddau, a Bodlyn ac Eiddau Mawr yn y Rhinogydd, heb unrhyw awdurdod o gwbl. 'Roedd Anafon ar dir yr Ymddiriedolaeth Genedlaethol, ond cafodd maen hir ei ddinistrio, a difrodwyd nifer o safleoedd archeolegol eraill. O ganlyniad i hyn, sylweddolwyd mai 'polisi' Wardeniaid y Parc Cenedlaethol oedd peidio adrodd am yr hyn a welsant nag a glywsant yn ystod eu gwaith, rhag iddynt gynhyrfu'r dyfroedd yn lleol. 'Sefyllfa Hynod o Anghyffredin' oedd yn unigryw i Barc Cenedlaethol Eryri, fel dywedodd Esmé. Ar waethaf yr helynt fu yn sgil hyn, ychydig flynyddoedd yn ddiweddarach bu i Ddŵr Cymru, yn gwbl ddifeddwl, chwalu'r hen goets ffordd a arweiniai i Pont Sgethin yn ne'r Rhinogydd, "un o dirluniau mwyaf brau a godidog Cymru gyfan," yn ôl Jim Perrin. Yn dilyn ffyrnigrwydd geiriau hallt Perrin bu'n rhaid i Gadeirydd Dŵr Cymru weithredu.

Yn y cyfnod hwn 'roedd ymrwymiad y llywodraeth Geidwadol i ymlid cyfoeth beth bynnag y canlyniadau, ynghyd ag obsesiwn **PAC** gyda chynhyrchu, neu or-gynhyrchu yn hytrach, yn drychineb i gadwraeth ym Mhrydain. 'Roedd tirfeddianwyr yn cael eu talu i ddadwreiddio gwrychoedd, i ail-hadu caeau gwair, i ddraenio gwlypdiroedd a gorchuddio'u tir â ffosffadau, nitradau, chwynladdwyr a phlaladdwyr heb ystyried y canlyniadau ecolegol na'r amrywiaeth biolegol, heb sôn am fwynhad y cyhoedd mewn bywyd gwyllt a thirwedd. Gwelir crynhoi'r agwedd hon yn **Neddf Cefn Gwlad 1981**. Mae'n tanlinellu'r llwyr ddiffyg rheolaeth ar goedwigaeth ac amaethyddiaeth, ac mae iawndal yn cael ei gyflwyno i'r rheiny nad oeddent yn medru gwneud cais am grantiau PAC oherwydd bod Llecyn o Ddiddordeb Gwyddonol Arbennig ar eu tir. Dim syndod, felly, i nifer y ceisiadau i ddatblygu llecynnau tebyg chwyddo'n ddramatig, ond ni ryddhawyd yr arian ar gyfer talu'r iawndal. Yn amlach na pheidio, datblygwyd y llecynnau. Mae'r Adroddiadau Blynyddol yn adlewyrchu'r teimlad o rwystredigaeth cenedlaethol oherwydd y dinistrio oedd yn digwydd.

Fel Aelod Apwyntiedig ar Bwyllgor y Parc Cenedlaethol am naw mlynedd, 'roedd Esmé mewn sefyllfa i weld y ceisiadau cynllunio ac i ddylanwadu'n llwyddiannus ar rai o'r penderfyniadau, er engraifft atal dymchwel simneiau **Plas Tan y Bwlch**. Gwelwyd nifer o ganlyniadau positif o bwys drwy gydweithrediad â chyrff cadwriaethol eraill, er enghraifft, twnnel yn hytrach na phont ar gyfer **traffordd Conwy**, a thwnnel hefyd yn lle ysgol goncrid ar gyfer helpu'r maran yn Rhaeadr y Garth Lwyd uwchben Betws y Coed. Ymddengys i gynnig Esmé i gael llwybr cwrteisi ar hyd yr **Aran** fod yn ffactor bwysig i ddatrys y sefyllfa dros fynediad i'r ardal honno, er bod y Gymdeithas wedi'i siomi gan y taliadau a wnaethpwyd i'r ffermwyr gan Awdurdod y Parc. Aflwyddiannus fu'r ymdrechion i rwystro gwaith mathru sbwriel yn **Morfa Harlech** ac ail-agor **mwynglawdd copr Sygun** ger Beddgelert fel atyniad i dwristiaid, ond 'roedd Esmé'n falch o gydnabod yn ddiweddarach nad oedd sail i'w hofnau. Ymladdwyd sawl brwydr aflwyddiannus arall. 'Roedd y rhain yn ymddangos yn bwysig ar y pryd, ond cawsant eu datrys yn eu tro diolch i ffactorau economaidd. Ehangu'r **mwynglawdd aur yng Ngwynfynydd** oedd un, a chadw'r pympiau petrol ym Mhen y Gwryd oedd un arall - draenen yn ystlys Esmé am flynyddoedd.

Right ~
Feral mountain goat – a handsome
but often troublesome residents
of the National Park. **MM**

Dde ~ Gafr mynydd wyllt –
un o drigolion y Parc
Cenedlaethol – golygus, ond
weithiau'n drafferthus . **MM**

With regard to roads, a by-pass for **Llanrwst** was opposed but that project was eventually shelved as the A55 coast road began to draw off most heavy goods traffic. The **A470** between Minffordd and Dolwyddelan was a bone of contention for much of this period, with the Park Authority at loggerheads with the Welsh Office Highways Department over its plans. Eventually the existing road was improved rather than a new one built, but the Society felt that concessions made at the Public Inquiry relating to walls and kerbs were not fulfilled in the event.

One other issue, which is best described as a storm in a tea-cup but which is still talked about locally, concerned the shooting of two wild goats that had been causing damage to the gardens of Plas y Brenin. Strictly speaking, Snowdonia's goats are feral, but they have been roaming wild for over 200 years and, like the ponies on the Carneddau, are much admired as an integral part of the mountain scene. When they come down into the valleys, however, in bad weather or when numbers increase, they can be extremely destructive. It has long been accepted that judicious

culling is necessary from time to time. They are not actually protected in law but when Plas y Brenin's Director, Bill March, impulsively took matters into his own hands, it was very much a case of 'Act in haste, repent at leisure'. Esmé was furious and left no stone unturned in her efforts to publicise the matter in the press and on national radio and TV, successfully embarrassing both Bill March and his employers, the Sports Council. When Bill left not long afterwards it was widely agreed that the infamous affair of the goats was at least a contributing factor.

Chwith ~ Pont Llanrwst dros yr Afon Conwy a Tu Hwnt i'r Bont yr ochr draw, adeilad a soniwyd amdano yn *The Old Cottages of Snowdonia*. **PA**

Left ~ Llanrwst bridge over the River Conwy with Tu Hwnt i'r Bont, a building mentioned in *The Old Cottages of Snowdonia*, on the far side. **PA**

❚❚ Yng nghyswllt ffyrdd, gwrthwynebwyd ffordd osgoi **Llanrwst**, ond gosodwyd y cynnig hwn o'r neilltu oherwydd i'r ffordd arfordir A55 ddechrau denu'r mwyafrif o'r drafnidiaeth drom. 'Roedd yr **A470** rhwng Minffordd a Dolwyddelan yn broblem am ran helaeth o'r cyfnod hwn, gydag Awdurdod y Parc benben ag Adran y Priffyrdd yn y Swyddfa Gymreig ynglyn â'r cynlluniau. Yn y diwedd bu gwella ar y ffordd wreiddiol yn hytrach nag adeiladu un newydd, ond 'roedd y Gymdeithas o'r farn nad oedd y consesiynau a wnaethpwyd yn yr Ymchwiliad Cyhoeddus ynglŷn â waliau ac ymylon y ffordd wedi'u cyflawni.

❚❚ Storom mewn cwpan de ond sydd dal yn destun siarad ym mysg y trigolion lleol hyd heddiw, yw'r achos am saethu dwy afr wyllt oedd yn creu difrod i erddi Plas y Brenin. Geifr gwyllt yw geifr Eryri sydd wedi crwydro'r tir ers canrifoedd, ac yn yr un modd a'r merlod ar y Carneddau, maent yn cael eu hystyried fel rhan annatod o'r mynydd. Pan ddônt i lawr i'r dyffryn, fodd bynnag, mewn tywydd garw, neu pan mae eu niferoedd yn chwyddo, gallant greu difrod mawr. Mae'n gydnabyddedig ers tro fod difa doeth yn angenrheidiol. Nid oes cyfraith yn eu gwarchod, ond pan fu i Bill March, Cyfarwyddwr Plas y Brenin,

gymryd yr awenau i'w ddwylo'i hun, 'roedd yn achos o 'ymddwyn yn fyrbwyll, difaru wedyn'. 'Roedd Esmé'n gandryll, a cheisiodd ei gorau glas i gael pob cyhoeddusrwydd posib i'r achos yn y papurau newydd ac ar y radio a'r teledu'n genedlaethol. Llwyddodd i ddwyn embaras ar Bill Marsh a'i gyflogwyr, y Cyngor Chwaraeon. Pan gefnodd Bill ar y swydd, beth amser wedyn, cytunwyd yn gyffredinol fod achos cywilyddus y geifr wedi bod yn ffactor yn ei benderfyniad.

Chwith ~ Ffos Noddun, Betws y Coed. **PA**
Uchod ~ Y Cnicht ac y Moelwynion. **MM**

Left ~ Fairy Glen, Betws y Coed. **PA**
Above ~ Cnicht and the Moelwynion. **MM**

Drosodd ~
(chwith) Llyn Tegid a'r Aran o'r Parc, y Bala. **PA**
(dde) Y Moelwynion o'r de-ddwyrain . **APCE**

Overleaf ~
(left) Llyn Tegid and Yr Aran from Parc, Bala. **PA**
(right) Y Moelwynion from the south-east. **SNPA**

COMING OF AGE
DYFOD I OED

The Society

The third decade was a troubled time for the Society. It witnessed the reluctant departure of the Society's founder and no fewer than five different Directors, although the arrival of the fifth, Rory Francis, in 1994 ushered in an era of renewed stability and growing credibility.

Right ~ Rory Francis who brought much-needed stability to the Society in the nineties. **RF**

Dde ~ Rory Francis a ddaeth â sefydlogrwydd, oedd ei ddirfawr angen ar y Gymdeithas yn y nawdegau. **RF**

In the late eighties Esmé Kirby was increasingly at odds with the Park Authority. At that time, the National Park Committee was still a subcommittee of Gwynedd County Council, whose Chief Executive, Ioan Bowen Rees, made no secret of his dislike of National Parks in general, and Snowdonia in particular. The composition of National Park Committees was, and still is, two-thirds elected councillors and one-third nominated members, appointed by a government minister. This system ensures that local communities are not disadvantaged by being within a Park, but it falls down if councillors see their duty as being solely to represent their constituents rather than to preserve the integrity of the Park. Regrettably, at the time a number of councillors took their lead from Ioan Bowen Rees, and Snowdonia's track record of planning decisions, which flouted the recommendations of officers and flew in the face of planning policies, was reputed to be the worst of all ten National Parks

in England and Wales. The situation was not helped by a Chairman whose views frequently differed from those of the officers. Whereas nominated members could serve a maximum of three three-year terms, as Esmé did, there was no time limit for elected representatives, and it was unfortunate that this particular Chair served, as a colleague wryly put it, "for ever".

Certainly, there was much for Esmé to complain about, but her combative approach and contemptuous attitude led to a situation in which the Park Officers were refusing to listen to or correspond with the Society. The Society's committee, made up of concerned individuals rather than mere yes-men, was not prepared to stand by and watch the Society being sidelined and the idea of a change of Chair or even a new Society began to be openly discussed. A major row blew up after the Public Inquiry into the Sygun copper mine when it was publicly revealed that

Esmé, representing the Society, had taken a stance the opposite of that agreed to by the Committee. At the same time the alienation and eventual resignation of one well-qualified Director after another led to a growing unease among the Society's membership. Richard Hills, Paul Wakely and Tony Shaw all came and went in quick succession, unable to handle Esmé's interference and criticism and drastically reducing the Society's effectiveness as an organisation. Throughout this period, employed as Secretary to the Director, Ruth Cox was the sheet anchor that held the Society in place when it could have disintegrated completely. Her tenacity and quiet efficiency enabled life to go on at Tŷ Hyll through all vicissitudes. Ruth worked for the Society from 1990 to 1999, longer than any other employee before or since, and then continued to serve on the Committee until 2006. Even now she is to be found in the garden at Tŷ Hyll every Monday.

Y Gymdeithas

Degawd gythryblus fu'r drydedd i'r Gymdeithas. Gadawodd y sylfaenydd yn anfodlon, a cawsant bum Cyfarwyddwr gwahanol, er i Rory Francis, y pumed Cadeirydd a benodwyd ym 1994, roi cychwyn ar gyfnod mwy sefydlog, a gwelwyd hygrededd y gymdeithas yn dechrau gwella.

❦ Yn niwedd yr wythdegau 'roedd Esmé Kirby'n anghytuno fwyfwy ag Awdurdod y Parc. Yn y cyfnod hwn, is-bwyllgor oedd Pwyllgor y Parc Cenedlaethol yng Nghyngor Sir Gwynedd, a 'roedd yn amlwg nad oedd Parciau Cenedlaethol yn gyffredinol, ac Eryri'n fwy penodol, yn agos at galon y Prif Weithredwr, Ioan Bowen Rees. Hyd heddiw mae dwy ran o dair o Bwyllgorau Parciau Cenedlaethol yn gynghorwyr etholedig, a thraean yn Aelodau Enwebedig, sy'n cael eu hapwyntio gan un o weinidogion y Llywodraeth. Mae'r system hon yn sicrhau na fydd cymunedau lleol y Parc o dan anfantais, ond gwendid y system yw pan dybiai'r cynghorwyr mai eu hunig ddyletswydd yw cynrychioli eu hetholwyr, yn hytrach na gwarchod y Parc yn ogystal. Yn anffodus, yn ystod y cyfnod hwn, dewisodd nifer o gynghorwyr ddilyn arweiniad Ioan Bowen Rees a gwelwyd mwy o benderfyniadau cynllunio'n cael eu gwneud er gwaethaf pob argymhelliad gan y swyddogion i'r gwrthwyneb, ac yn groes i bolisïau cynllunio yn Eryri, nag yn unrhyw un o'r deg Parc Cenedlaethol arall yn Lloegr a Chymru. Yn anffodus hefyd, 'roedd barn y Cadeirydd yn aml yn groes i farn y swyddogion, ac 'roedd ei ddull unbenaethol ef o weithredu'n sicrhau ei fod yn cael ei ffordd ei hun yn amlach na pheidio. Lle bod hawl gan Aelodau Enwebedig i wasanaethu am dri thymor o dair blynedd, fel ag y gwnaeth Esmé, nid oedd unrhyw amser penodedig ar gyfer cynrychiolwyr etholedig, a 'roedd yn anffodus i'r Cadeirydd arbennig hwnnw wasanaethu "am byth", fel bu i un cydweithiwr nodi'n smala.

❦ Heb amheuaeth, 'roedd digon o le gan Esmé i gwyno, ond bu i'w hagwedd ymosodol, ddirmygus gyfrannu at sefyllfa ble 'roedd Swyddogion y Parc yn gwrthod gwrando na chyfathrebu â'r Gymdeithas. Nid oedd y pwyllgor yn fodlon sefyll o'r neilltu a gweld y Gymdeithas yn cael ei hanwybyddu. 'Roeddynt yn wirioneddol bryderu am y sefyllfa, a dechreuwyd trafod yn agored newid yn y Gadeiryddiaeth, neu hyd yn oed greu Cymdeithas newydd sbon. Cododd coblyn o ffrae yn dilyn yr Ymchwiliad Cyhoeddus i fwynglawdd copr Sygun, pan ddatgelwyd yn gyhoeddus fod Esmé, fel cynrychiolydd y Gymdeithas, wedi ymddwyn yn groes i benderfyniad y Pwyllgor. Ar yr un pryd 'roedd y ffaith fod y naill Gyfarwyddwr profiadol ar ôl y llall yn ymddieithrio, ac yn gadael y swydd, yn cyfrannu tuag at y teimlad anniddig oedd yn tyfu ym mysg aelodaeth y Gymdeithas. Bu i Richard Hills, Paul Wakely a Tony Shaw fynd a dod yn syth ar ôl ei gilydd, yn methu ymgodymu â beirniadaeth ac ymyrraeth Esmé. Cafodd hyn gryn effaith ar effeithiolrwydd y Gymdeithas fel sefydliad. Drwy'r cyfnod hwn, Ruth Cox a gyflogwyd fel Ysgrifenyddes i'r Cyfarwyddwr, oedd yr angor a ddaliai'r gymdeithas yn ei lle pan fu posibilrwydd iddi chwalu'n llwyr. Oherwydd ei chryfder a'i dull tawel, effeithiol o weithio, aeth bywyd yn ei flaen yn Tŷ Hyll ar waethaf yr holl helyntion. Gweithiodd Ruth i'r Gymdeithas o 1990 i 1999, yn hirach nag unrhyw weithiwr cynt na wedyn, ac yna parhaodd i wasanaethu ar y Pwyllgor tan 2006. Hyd heddiw gellir ei gweld bob dydd Llun yng ngardd Tŷ Hyll.

Above ~ Esmé Kirby, Chairman for twenty-five years, with Rod Hackney, President from1987 until 2003. **SS**

Uchod ~ Esmé Kirby, Cadeirydd am bump ar hugain o flynyddoedd, gyda Rod Hackney, Llywydd o 1987 i 2003. **CE**

The Annual Report for 1991 is prefaced by a sticker which states: 'This is the Chairman's Report and does not necessarily represent the views of the Officers or Executive Committee'. Matters were coming to a head. At the AGM in October, there were two candidates for the post of Chairman. It was a bad-tempered meeting at which feelings ran high on both sides and the President, Rod Hackney, had his work cut out to control proceedings. At the end of it, David Firth emerged as Chair of the Society, with Esmé having taken the title of Consultant. That was not the end of the matter, however. Esmé continued to make life exceedingly difficult for Martyn Evans, the new Director, who eventually resigned in disgust, and for David Firth. For the next two years at the AGM she encouraged an alternative candidate to oppose David. Finally, in 1994, a group of Esmé's supporters called for a Special General Meeting to debate a motion of no confidence in the Chairman. By this time the membership of the Society, despite widespread admiration for Esmé's achievements in the past, had had enough. In a packed hall in Llanrwst the motion was overwhelmingly defeated. Esmé finally withdrew from the Society, Peter Kirby resigned from the Committee, and until Esmé's death in 1999 at the age of 89 years, they devoted their energies to the Esmé Kirby Snowdonia Trust instead.

Meanwhile David Firth, who had handled the whole trying episode with dignity, was at last free to concentrate on the Society's *raison d'être*, the well-being of Snowdonia. Young and cheery, but a shrewd operator, David was, unusually for an outdoor pursuits instructor, a political animal who enjoyed 'the art of the possible'. With the Society back on an even keel, David handed over to Jenny Nickson (née James), who nearly ten years earlier had been the Society's first Administrator.

With Jenny at the helm, the Society could begin to function effectively on major issues. When she retired as Chair after two and a half years, Jenny commented: "I see a change in our campaigning style ... We are working more and more closely with other related organisations; meeting and putting our case directly to the people making the decisions; and negotiating terms and concessions long before plans reach the planning or public consultation stage. This method of working may not hit the headlines but it is effective ...". She went on to remind the Society just how much work must go on behind the scenes to achieve results: "There is very little glamour about repeated follow-up phone calls or visits, mailing circular letters and nagging (or gently reminding!) people to do whatever it is they have forgotten to do. But this is what wins the day whether we are dressed up in our best to meet the Welsh Office or ignoring the washing up to make just a few more phone calls". It was at this time that the Society opted to change its name from the Snowdonia National Park Society to the Snowdonia Society to prevent continual confusion with the Snowdonia National Park Authority. The Park Authority, meanwhile, had at last been freed from the dead hand of Gwynedd, becoming a free-standing authority in its own right. (Gwynedd was further dismembered in the local government re-organisation which created Conwy County Borough Council.) The decade ended with that wily politician Bob Cole in the Chair.

Ar ddechrau Adroddiad Blynyddol 1991 mae sticer yn nodi : 'Adroddiad y Cadeirydd yw hwn ac nid yw o anghenraid yn cynrychioli barn y Swyddogion na'r Pwyllgor Gweithredol.' Yn y Pwyllgor Cyffredinol Blynyddol ym mis Hydref, 'roedd dau ymgeisydd am y Gadeiryddiaeth. 'Roedd yn gyfarfod tanllyd, a theimladau cryf yn cael eu mynegi ar bob ochr, a chafodd y Llywydd, Rod Hackney, drafferth i gadw rheolaeth. Ar ddiwedd y cyfarfod, penodwyd David Firth yn Gadeirydd ac Esmé'n cael ei gwneud yn Ymgynghorydd. Nid dyma'r diwedd, fodd bynnag. Parhaodd Esmé i greu trafferth i Martyn Evans, y Cyfarwyddwr newydd, ac yn y diwedd ymddiswyddodd mewn diflastod llwyr. 'Doedd pethau fawr gwell ar David Firth chwaith. Am y ddwy flynedd nesaf bu Esmé'n annog ymgeisydd arall i'w wrthwynebu yn y PCB. O'r diwedd, ym 1994, galwyd Pwyllgor Cyffredinol Arbennig gan rai o gefnogwyr Esmé i drafod cynnig o ddiffyg hyder yn y Cadeirydd. Erbyn hyn, 'roedd aelodaeth y Gymdeithas wedi cael llond bol, er iddynt edmygu llwyddiannau Esmé'n fawr yn y gorffennol. Mewn neuadd orlawn yn Llanrwst, trechwyd y cynnig yn llwyr. O'r diwedd, ciliodd Esmé oddi wrth y Gymdeithas; ymddiswyddodd Peter Kirby o'r Pwyllgor, a rhoddodd y ddau o'u hamser yn gyfan gwbl i Ymddiriedolaeth Eryri Esmé Kirby, hyd ei marwolaeth ym 1999 yn 89 mlwydd oed.

'Roedd David Firth wedi ymddwyn yn urddasol drwy gydol y bennod boenus hon, ac o'r diwedd, 'roedd yn rhydd i ganolbwyntio ar raison d'être y Gymdeithas, sef budd a lles Eryri. 'Roedd David yn ddyn ifanc, siriol a chraff, ac, yn anghyffredin iawn i hyfforddwr o'r fath, 'roedd yn hynod fedrus yn yr arena boliticaidd. 'Roedd wrth ei fodd â 'chelfyddyd y posib'. Pan oedd y Gymdeithas nôl ar ei thraed yn gadarn unwaith eto, trosglwyddodd David yr awenau i Jenny Nickson (née James) a hi, ddeng mlynedd yng nghynt, oedd Gweinyddwr cyntaf y Gymdeithas.

Gyda Jenny wrth y llyw gallai'r Gymdeithas ddechrau fynd i'r afael â'r digwyddiadau mawr yn effeithiol. Pan ymddeolodd fel Cadeirydd ar ôl dwy flynedd a hanner, dywedodd "'Rwy'n gweld newid yn ein dull o ymgyrchu … 'Rydym yn gweithio'n agosach â chyrff perthnasol eraill: yn cyfarfod ac yn gosod ein hachos gerbron y bobl sy'n gwneud y penderfyniadau'n uniongyrchol; ac yn trafod telerau a chonsesiynau ymhell cyn i'r cynlluniau gyrraedd y cyfnod cynllunio neu drafodaeth cyhoeddus. Efallai nad yw'r dull hwn o weithredu'n creu penawdau ond mae'n effeithiol …" Aeth ymlaen i atgoffa'r Gymdeithas yn union faint o waith sy'n rhaid ei wneud yn y dirgel er mwyn cael canlyniadau boddhaol: "Does dim byd pleserus mewn gwneud galwadau ffôn dro ar ôl tro, gyrru cylchlythyrau a chwyno'n gyson (neu atgoffa'n ddistaw bach!) na thalu ymweliadau o hyd ac o hyd â phobl i'w hatgoffa i wneud beth bynnag maent wedi anghofio'i wneud. Ond yn y pen draw dyma sut mae llwyddo, naill ai os ydym yn gwisgo'n dillad gorau a mynd i gyfarfod y Swyddfa Gymreig, neu'n peidio a golchi'r llestri am ychydig er mwyn gwneud mwy o alwadau ffôn". Dyma pryd benderfynodd y Gymdeithas newid ei henw o Gymdeithas Parc Cenedlaethol Eryri i Gymdeithas Eryri er mwyn osgoi anhrefn cyson gyda Pharc Cenedlaethol Eryri. Yn y cyfamser 'roedd Awdurdod y Parc wedi cael ei ryddhau o grafangau Gwynedd, ac yn bodoli fel awdurdod ar ei liwt ei hun. (Darniwyd Gwynedd ymhellach yn ystod ail-strwythuro llywodraeth leol pan grëwyd Cyngor Bwrdeistref Sirol Conwy.) Daeth y ddegawd i ben â'r gwleidydd cyfrwys hwnnw, Bob Cole, yn y Gadair.

Despite the turbulence of this era, there were many positives for which we can be grateful today. The first, and most important, was the purchase outright of **Tŷ Hyll**, the famous Ugly House on the A5 between Capel Curig and Betws y Coed. Extensive renovations and repairs, which had been estimated at over £50,000, were carried out (mostly by Peter Kirby working voluntarily) for a mere £15,000. It has been office, shop and museum for the Society for nearly twenty years now. At the same time the 'Gnomes of Tŷ Hyll' (Esmé's phrase), led by Daphne Taylor and Neville and Pam Jones, attacked the wilderness surrounding the house on the first Monday of every month, gradually converting it into a beautiful cottage garden. Donald Campbell and boys from Bromsgrove School reinstated and constructed footpaths in the wood behind the house, and in due course a woodland management scheme was instigated, renewing fences to exclude sheep and creating clearings to allow regeneration. Rob Collister wrote a description, illustrated by Peter Davey, which enabled visitors to take a self-guided circular walk through the wood. Over a period of years, Caroline Langford of the British Trust for Ornithology installed and monitored sixteen bird boxes. These attracted blue and great tits, pied flycatchers and after a woodpecker had enlarged the entrance hole, a pair of redstarts.

❦ Er cynnwrf y cyfnod hwn cafwyd rhai canlyniadau positif i fod yn ddiolchgar ohonynt. Y cyntaf, a'r pwysicaf, oedd prynu **Tŷ Hyll**, yr adeilad enwog hwnnw ar yr A5 rhwng Capel Curig a Betws y Coed. 'Roedd swm o £50,000 wedi ei amcangyfrif ar gyfer yr holl waith adnewyddu ac atgyweirio, ond llwyddwyd i gwblhau'r gwaith am £15,000 yn unig, yn bennaf oherwydd y gwaith gwirfoddol a wnaeth Peter Kirby arno. Mae wedi bod yn swyddfa, siop ac amgueddfa i'r gymdeithas am yn agos i ugain mlynedd. Ar yr un pryd bu i 'Gorachod Tŷ Hyll' (geiriau Esmé), dan arweiniad Daphne Taylor a Neville a Pam Jones, ddydd Llun cyntaf o bob mis, fynd i'r afael â'r diffeithwch oedd o amgylch y tŷ, ac yn araf bach cafodd ei drawsnewid yn ardd fwthyn fendigedig. Bu i Donald Campbell a bechgyn o Ysgol Bromsgrove adfer ac adeiladu llwybrau yn y goedwig y tu ôl i'r tŷ, ac wedi peth amser dechreuwyd ar gynllun i reoli a goruchwylio'r goedwig - adnewyddu ffensys i gadw defaid oddi yno, a chreu llecynnau agored er mwyn i'r planhigion gael cyfle i aildyfu. Tynnodd Peter Davies luniau i gyd-fynd â disgrifiad ysgrifenedig Rob Collister, er mwyn galluogi ymwelwyr i fynd am dro mewn cylch drwy'r goedwig, heb angen neb i'w harwain. Dros nifer o flynyddoedd bu i Caroline Langford, o Ymddiriedolaeth Adareg Prydain, osod a monitro un ar bymtheg o focsys adar oedd yn denu'r titw tomos las, y titw mawr a'r gwybedog brith, ac unwaith wedi i gnocell y coed wneud y twll yn fwy, pâr o din gochiaid.

Above (left to right) ~ The 'Gnomes' of Tŷ Hyll gardens with Esmé (second from right). **SS** ~ Pied flycatcher, a summer visitor to North Wales. **RT** ~ Pied flycatcher at a nesting box in Tŷ Hyll woodlands. **JR**

Uchod (chwith i'r dde) ~ 'Corachod' gerddi Tŷ Hyll gydag Esmé (ail o'r dde). **CE** ~ Gwybedog brith, sy'n ymweld â Gogledd Cymru yn yr haf. **RT** ~ Gwybedog brith mewn bocs nythu yng nghoedwigoedd Tŷ Hyll. **JR**

An important innovation was *Eryri News*, a magazine-cum-newsletter for the Society. Started in 1990 and jointly edited by the Committee for the first issue, over the next few difficult years the Society was fortunate in twice being able to call on Eric Maddern, writer and storyteller, to stand in as editor during the gaps between Directors. It clearly filled a need for it was an immediate success with the membership. It soon became biannual and later triannual, and the original monochrome covers were quickly replaced by a succession of stunning colour images and an eye-catching headline. Above all, the wealth of talent and knowledge in the Society was able to express itself in print for the first time with erudite articles by John Holman, Michael Senior, John Lambe and Peter Southgate alongside impassioned pieces by Jim Perrin, Rhian Roberts and Gill Fildes.

One immediate consequence of the change of Chair was that the Society began to play a part in the Council for National Parks. Another was that the Annual report became bilingual and *Eryri News* increasingly so. One Director, departing in high dudgeon, had remarked that the Society was "a bunch of middle-aged, middle-class incomers". This was undeniably true – there can be few charities in the UK which could survive without the middle-class middle-aged – but the incomer jibe became slightly less appropriate with the active involvement of 'Cymry Cymraeg' of the calibre of Ken Jones, Warren Martin, Dei Tomos and Dafydd Elis-Thomas.

Another initiative was the publication of *What is Eryri?* as a tool for raising awareness and recruiting members. Visually very striking, thanks to the photos of John Roberts, the booklet contained an informative and thoughtful bilingual text by Jenny Nickson. The Society was struggling financially at a time of national recession, with the interest from investments dropping from £27,000 to £17,000 in a three-year period, but a grant from the Countryside Council for Wales allowed the project to go ahead.

Meanwhile Rory Francis was making his mark. With a background as a researcher at the House of Commons followed by campaign work for Friends of the Earth in Cardiff, Rory was well-versed in the political process. Disarmingly friendly, good at listening to what others had to say and a fluent Welsh speaker, Rory soon became a highly effective Director. Taking a leaf out of Esmé's book, he produced frequent press releases to keep important issues and the Society in the public eye, and he was frequently to be seen on Welsh television.

Left ~ Warren Martin, currently a Vice-President of the Society. As a Nature Conservancy Council Warden he was reprimanded for attending the inaugural meeting in 1967. **APCE**

Chwith ~ Warren Martin, un o Is-Lywyddion y Gymdeithas ar hyn o bryd. Fel Warden y Cyngor Gwarchod Natur cafodd ei geryddu am fod yn bresennol yn y cyfarfod agoriadol ym 1967. **SNPA**

Right ~ Eric Maddern, writer, story-teller and musician who edited some early editions of *Eryri News*. **RC**

Dde ~ Eric Maddern, awdur, storïwr a cherddor a olygodd rhai rifynnau cynnar 'Newyddion Eryri'(*Eryri News*). **RC**

Datblygiad newydd pwysig oedd *Eryri News (Newyddion Eryri)*, cylchgrawn neu daflen newyddion y Gymdeithas. Ymddangosodd ym 1990, gyda'r Gymdeithas yn cyd-olygu'r argraffiad cyntaf. Yn ystod y blynyddoedd canlynol, blynyddoedd anodd i'r Gymdeithas, 'roeddynt yn ffodus i fedru gofyn ddwywaith i'r awdur a'r storïwr, Eric Maddern, gymryd ei le fel golygydd pan fu bwlch rhwng Cadeiryddion. Mae'n amlwg i'r cylchgrawn ateb angen oherwydd 'roedd yn llwyddiant mawr gyda'r aelodaeth. Yn fuan iawn fe gyhoeddwyd dau gylchgrawn y flwyddyn, ac yna tri, a chafodd y clawr du a gwyn gwreiddiol ei gyfnewid am gyfres o ddelweddau lliw hardd a phennawd atyniadol. Yn fwy na dim 'roedd yma le a chyfle i holl dalent a gwybodaeth y Gymdeithas fynegi ei hun mewn print am y tro cyntaf, a chafwyd erthyglau gwybodus a diddorol gan John Holman, Michael Senior, John Lambe a Peter Southgate, ochr yn ochr ag ysgrifau brwdfrydig a chyffrous gan Jim Perrin, Rhian Roberts a Gill Fildes.

Oherwydd y newid yn y Gadeiryddiaeth, gwelwyd un canlyniad yn syth; dechreuodd y Gymdeithas chwarae ei rhan ar Gyngor y Parciau Cenedlaethol. Canlyniad arall oedd i'r Adroddiad Blynyddol ymddangos yn ddwyieithog, ac felly hefyd Eryri News (Newyddion Eryri). 'Roedd un Cyfarwyddwr, wrth adael mewn tymer ddig dros ben, wedi dweud mai "criw o fewnfudwyr canol oed, ddosbarth canol" oedd y Gymdeithas. Gwir pob gair - ni fyddai llawer o elusennau ym Mhrydain yn medru bodoli heb y canol oed a'r dosbarth canol - ond 'roedd yr edliw am y mewnfudwyr yn llai perthnasol erbyn hyn diolch i Gymry Cymraeg amlwg fel Ken Jones, Warren Martin, Dei Tomos a Dafydd Elis-Thomas, wrth iddynt ddechrau ymwneud yn uniongyrchol â'r Gymdeithas.

Datblygiad arall oedd cyhoeddi *What is Eryri? (Beth yw Eryri?)* fel arf i godi ymwybyddiaeth a recriwtio mwy o aelodau. 'Roedd yn llyfryn hynod ddeniadol i'r llygad, diolch i ffotograffau John Roberts, ac ynddo destun dwyieithog addysgiadol ac ystyriol gan Jenny Nickson. 'Roedd y Gymdeithas mewn trafferthion ariannol mewn adeg o ddirwasgiad cenedlaethol, a bu cwymp yn llog y buddsoddiadau o £27,000 i £17,000 mewn cyfnod o dair blynedd, ond aeth y prosiect yn ei flaen diolch i grant gan Gyngor Cefn Gwlad Cymru.

Yn y cyfamser, 'roedd Rory Francis yn gwneud ei farc. Gyda chefndir fel ymchwilydd yn Nh 'r Cyffredin, ac wedi bod yn gweithio fel ymgyrchydd â Chyfeillion y Ddaear yng Nghaerdydd, 'roedd Rory'n hen law wrth ymdrin â'r broses wleidyddol. Yn gyfeillgar, yn un da am wrando, yn siaradwr Cymraeg rhugl, 'roedd Rory'n fuan iawn yn Gyfarwyddwr hynod effeithiol. Gan ddilyn esiampl Esmé cyhoeddodd ddatganiadau niferus i'r wasg er mwyn sicrhau fod pob digwyddiad pwysig, a'r Gymdeithas ei hun, yn aros yn llygad y cyhoedd, a 'roedd i'w weld yn aml ar deledu Cymru.

Landscape and Planning

The decade opened with jubilation at Chris Brasher's purchase of the filling station at **Pen y Gwryd**, enabling it to be levelled, and frustration at the missed opportunity to bury the hideous **Cwm Dyli pipeline** which disfigures one of the finest and most visible mountainscapes in Britain. The National Park Authority unthinkingly gave planning permission for the renewal of the twin pipes of one of the country's earliest hydroelectric schemes in Nant Gwynant. This crucial fact allowed the CEGB to dig its heels in when the Society called for the single enlarged pipe to be buried. Nor did the Board scruple from turning it into a jobs vs scenery issue, polarising local opinion by threatening that the extra expense would mean closure of the power station. Although Chris Brasher and Rod Hackney ensured that it became a cause célèbre in the national press, winning the Society a lot of new members, in the end nothing was achieved. The National Park Officer undoubtedly had egg on his face over the affair, especially when it was pointed out that the desirability of removing the pipeline actually featured in his own Park Plan. But the real villain of the piece was Walter Marshall, obdurate Chairman of the CEGB, who was determined to put profit above all else.

However, it was **inappropriate road schemes** that dominated the agenda most of the time. The Society was never opposed to road improvements as such, but vast amounts of time and effort, literally years of work sometimes, went into ameliorating excessive proposals. It seemed that Highways engineers, whether Welsh Office in the case of trunk roads, or Gwynedd in others, preferred to take a sledgehammer to crack a nut, usually opting for a totally new road, even in the most scenic of areas, rather than easing an existing one. The Society realised that to be effective it must ally itself with other organisations. The A5 Consortium, ably chaired by Jenny Nickson, brought together such unlikely bedfellows as the Ramblers' Association and the National Farmers' Union as well as the National Trust, the North Wales Wildlife Trust, Friends of the Earth, the Council for National Parks, the Campaign for the Protection of Rural Wales and the British Mountaineering Council to negotiate with the Welsh Office on a series of draconian proposals for the length of the A5 from Chirk to Llandegai. The success of the Consortium led to the forming of the Clymblaid A470 to deal with the **Lledr Valley** schemes, in which Rory Francis played a leading role. At about the same time Eileen Evans was mobilising resistance to a revived plan for a by-pass round **Llanrwst**, organising traffic counts, distributing pamphlets and mounting a public exhibition. The two and a half year campaign was rewarded when finally the plans were dropped.

Left (and far left) ~ The Cwm Dyli pipeline – blot on a much-loved and highly visible landscape. **DF**

Chwith (a'r chwith eithaf) ~ Lein beipiau Cwm Dyli – nam ar dirwedd annwyl ac amlwg iawn. **DF**

Tirwedd a Chynllunio

Gwelwyd gorfoleddu mawr ar ddechrau'r ddegawd wedi i Chris Brasher brynu'r orsaf betrol ym **Mhen y Gwryd**, ac yna ei chwalu. Ond 'roedd rhwystredigaeth hefyd wrth golli'r cyfle i gladdu llinell beipen **Cwm Dyli**, sy'n hagru rhan o dirwedd fynyddig harddaf a mwyaf gweladwy Prydain. Yn ddifeddwl 'roedd Awdurdod y Parc Cenedlaethol wedi rhoi caniatâd cynllunio i adnewyddu'r ddwy beipen oedd yn perthyn i un o gynlluniau hydro-electrig cynharaf y wlad, yn Nant Gwynant. Yn dilyn hyn bu i'r Bwrdd Canolog Cynhyrchu Trydan ystyfnigo pan alwodd y Gymdeithas am gladdu'r beipen fawr newydd. Ni fu'r Bwrdd chwaith yn petruso'n hir cyn gosod y ddadl o swyddi ar draul prydferthwch tiroedd gerbron y cyhoedd, gan fygwth y byddai'r gost ychwanegol yn golygu cau'r orsaf bŵer. Holltwyd y farn leol. Er i Chris Brasher a Rod Hackney sicrhau i'r achos fod yn cause célèbre yn y cyfryngau yn genedlaethol, ac ennill nifer o aelodau newydd i'r Gymdeithas ar yr un pryd, yn y diwedd collwyd y ddadl. Achosodd y mater gryn embaras i Swyddog y Parc Cenedlaethol, yn enwedig pan wnaethpwyd y sylw fod y syniad o symud y beipen oddi yno beipen wedi cael ei wyntyllu yn ei gynllun arbennig ef ar gyfer y Parc. Ond Walter Marshall, Cadeirydd ystyfnig y CEGB, oedd y drwg yn y caws o ddifrif. 'Roedd ef yn benderfynol o roi elw o flaen popeth arall.

Er hyn, **cynlluniau anaddas i wella'r ffyrdd** oedd yn dominyddu popeth arall ar yr agenda. Nid oedd y Gymdeithas erioed wedi gwrthwynebu gwella'r ffyrdd fel y cyfryw, ond treuliwyd amser maith, blynyddoedd mewn rhai achosion, a defnyddiwyd llawer o egni'n ceisio lliniaru rhywfaint ar gynigion eithafol. 'Roedd yn ymddangos ei bod yn well gan y peirianwyr gymryd gordd i dorri cneuen, os oeddynt yn gweithio ar ran y Swyddfa Gymreig yn achos y priffyrdd, neu ar ran Gwynedd yn achos ffyrdd eraill. Gan amlaf 'roeddynt yn dewis gwneud ffordd newydd sbon yn hytrach na gwella ffordd oedd yno'n barod, hyd yn oed yn yr ardaloedd prydferthaf. Sylweddolodd y Gymdeithas fod yn rhaid iddi gyd-weithio â chyrff eraill er mwyn bod yn fwy effeithiol. Dan gadeiryddiaeth Jenny Nickson daeth **Consortiwm yr A5** â chymheiriaid anghymarus at ei gilydd, fel Cymdeithas y Cerddwyr, NFU Cymru, yr Ymddiriedolaeth Genedlaethol yn ogystal ag Ymddiriedolaeth Natur Gogledd Cymru, Cyfeillion y Ddaear, Cyngor y Parciau Cenedlaethol, Ymgyrch Diogelu Cymru Wledig a'r Cyngor Mynydda Prydeinig, i gyd-drafod cyfres o gynigion llym gyda'r Swyddfa Gymreig a fyddai'n effeithio ar yr A5 o'r Waun i Landegai. Yn dilyn llwyddiant y Consortiwm ffurfiwyd Clymblaid A470 i ymdrin â chynlluniau **Dyffryn Lledr**, ble chwaraeodd Rory Francis ran ganolog. Tua'r un adeg 'roedd Eileen Evans yn ail-godi'r gwrthwynebiad i **ffordd osgoi Llanrwst**, yn trefnu cyfrifon traffig, yn dosbarthu taflenni a threfnu arddangosfa gyhoeddus. Gwobrwyd yr ymgyrch wedi dwy flynedd a hanner pan roddwyd gorau i'r cynllun o'r diwedd.

Below ~ The Lledr Valley, scene of long-running disputes over the nature of road improvements. **RC**

Isod ~ Dyffryn Lledr, safle anghydfod hirfaith am natur y gwelliannau i'r ffordd. **RC**

Two other schemes both involved old quarries, even though neither was actually in the National Park. Plans for an enormous leisure complex in **Glyn Rhonwy**, near Llanberis, which threatened to overwhelm the local infrastructure, were successfully opposed by a group which included Ken Jones and Eric Maddern. A controversial proposal to reopen **Rhosydd mine** on the moors above Blaenau Ffestiniog was eventually given the go-ahead, albeit once the most damaging elements, such as open-cast working within the National Park boundary, had been dropped. By that time it had split the local community down the middle, Committee member Ronwen Roberts playing a prominent part in opposing it. In the event, more slate became available elsewhere and the mine was not opened after all. **Clogau gold mine** near Dolgellau was another scheme that involved an inordinate amount of the Society's time and caused a great deal of angst before it finally crumbled financially. Proposals to rebuild the summit café on Snowdon and concerns about the reopening of the Welsh Highland Railway from Caernarfon to Porthmadog surfaced towards the end of this period and have continued to occupy the Society to the present day.

During this period the **Forestry Commission's** role was redefined to give both conservation and recreation an important place in its remit. The days of extensive new planting were over and, though the brutal nature of large-scale clear-felling still aroused protest, there were signs of a softening in attitudes. A conservation ranger was appointed for Gwydir Forest, badger sets were respected when felling plans were drawn up, and ten metre strips were cleared or left unplanted on either side of streams to allow natural regeneration.

In agriculture the biggest impact on the landscape was **fencing**, with miles of new sheep-netting topped with barbed wire appearing on the Glyderau, in the wild emptiness of the Moelwynion and even on the high ridges of Snowdon as well as all over the lower hills of Meirionnydd. To farmers they made perfect sense. At this time some, but not all, farmers were being paid to reduce stocking densities. Fences meant that sheep from one farm could not wander onto less intensively grazed land next door. Besides, when grants of £9 per metre were available and a contractor could do the job for £3 a metre, why not put up a few extra fences? From the hill-walker's perspective, they were a further erosion of that precious sense of space and freedom that is an all-important antidote to the stresses of modern life. Some farmers, or their spokesmen, took to referring to the mountains as their 'factory floor' on which it was unreasonable for outsiders to intrude. Many hill-walkers and climbers, on the other hand, felt that wild land was not a commodity to be bought and sold, let alone a factory. Like air and water, it was the birthright of everyone and an ecosystem to which we all belong. As the Right to Roam debate hotted up and the re-wilding of upland Britain began to be mooted, Warren Martin spoke for the Committee when he reminded Society members that the hills of Eryri represent 3,000 years of pastoral husbandry which should not be discarded lightly, and that in Wales farming, culture and language are inextricably linked.

Left ~ Miners' barracks at Bwlch Rhosydd at the head of Cwm Orthin above Blaenau Ffestiniog. **RC**

Chwith ~ Barics chwarelwyr ym Mwlch Rhosydd wrth ben Cwm Orthin, ac uwchben Blaenau Ffestiniog. **RC**

Dde ~ Defaid mynydd Cymreig, yn draddodiadol rhain yw asgwrn cefn economi Eryri, gyda'r Cnicht yn y cefndir. **MM**

Right ~ Welsh mountain sheep, traditionally the backbone of Snowdonia's economy. Cnicht in the background. **MM**

❚❚ 'Roedd dau gynllun arall yn agos iawn at galon y Gymdeithas, er nad oeddynt ar dir y Parc Cenedlaethol fel y cyfryw, y ddau'n ymwneud â hen chwareli. Llwyddwyd i wrthwynebu canolfan hamdden anferthol yng **Nglyn Rhonwy**, ger Llanberis, a fyddai'n gorlethu'r rhwydweithiau mewnol lleol, gan grŵp oedd yn cynnwys Ken Jones ac Eric Maddern. Cafodd y cynnig dadleuol i ail-agor mwynglawdd **Rhosydd** uwchben Blaenau Ffestiniog ei ganiatáu yn y diwedd, er i'r elfennau mwyaf dinistriol, fel cloddio brig oddi mewn i ffiniau'r Parc Cenedlaethol, gael eu gollwng, ond erbyn hynny 'roedd wedi hollti'r gymuned leol yn ei hanner. Bu i Ronwen Roberts, aelod o'r Pwyllgor, chwarae rhan flaenllaw yn y gwrthwynebiad. Yn y diwedd, ni agorwyd y mwynglawdd o gwbl oherwydd bod llechi ar gael mewn man arall. 'Roedd rhan helaeth o amser y Gymdeithas yn cael ei dreulio'n trin achos **mwynglawdd aur Clogau**, ger Dolgellau. 'Roedd yr achos hwn yn peri cryn bryder, ond diflannodd yn llwyr yn y pen draw oherwydd diffyg arian. Daeth y cynigion i ail-adeiladu'r caffi ar gopa'r Wyddfa, a'r pryderon am ail-agor y Rheilffordd Fynyddig Gymreig rhwng Caernarfon a Porthmadog i'w wyneb tua diwedd y cyfnod hwn, ac mae'r Gymdeithas wrthi'n eu trin a'u trafod hyd heddiw.

❚❚ Yr adeg yma cafodd rôl y **Comisiwn Coedwigaeth** ei ail-ddiffinio er mwyn rhoi lle blaenllaw i gadwraeth a hamdden. Daeth dyddiau plannu newydd ar raddfa eang i ben, ac er bod protestio brwd yn dal i fodoli yng nghylch torri a chlirio coed ar yr un raddfa eang, 'roedd yno arwyddion fod agweddau'n lliniaru rhywfaint. Apwyntiwyd coedwigwr cadwraeth i Fforest Gwydir; 'roedd setiau moch daear yn cael eu parchu wrth baratoi'r cynlluniau cwympo coed, a 'roedd stribiau o ddeg metr yn cael eu clirio a'u gadael heb eu plannu o boptu pob nant, ar gyfer adfywiad naturiol.

❚❚ Yr hyn gafodd yr effaith fwyaf ar y tirwedd yn y byd amaethyddol oedd **ffensio**. Ymddangosodd milltiroedd o netin-defaid â weiren bigog arno ar y Glyderau, ar unigeddau gwyllt y Moelwynion, a hyd yn oed ar grib yr Wyddfa, yn ogystal â thros fryniau Meirionnydd. I'r ffermwyr 'roedd y ffensio'n gwneud synnwyr perffaith. Ar yr adeg yma 'roedd rhai ffermwyr, ond nid pob un ohonynt, yn cael eu talu i gadw llai o anifeiliaid. 'Roedd y ffensys yn rhwystro defaid o un fferm rhag crwydro i dir nad oedd yn cael ei bori mor ddwys, ar y fferm drws nesaf. A beth bynnag, os oedd grantiau o £9 y metr ar gael, a'r contractwr yn fodlon gwneud y gwaith am £3 y metr, beth am godi ychydig fwy o ffensys? I'r cerddwr mynydd 'roedd y rhain yn ymyrraeth bellach i'r ymdeimlad o ryddid a llonyddwch oedd mor hanfodol yn y byd modern â'i holl bryderon. Dechreuodd rai ffermwyr, neu eu lladmeryddion, sôn am y mynyddoedd fel 'llawr eu ffatri', a bod caniatáu pobl o'r tu allan gerdded arno'n gwbl afresymol. Ar y llaw arall, teimlai llawer o gerddwyr a dringwyr nad rhywbeth i'w brynu a'i werthu oedd y tir gwyllt hwn, ac yn sicr nid oedd yn ffatri. Yn hytrach, genedigaeth fraint pob un ydoedd, ac yn ecosystem oedd yn perthyn i bawb, yn union fel dŵr ac aer. Wrth i'r ddadl ffyrnigo ynglŷn â'r Hawl i Grwydro, a'r syniadau ynghylch adfer ucheldiroedd gwyllt Prydain gael eu gwyntyllu, siaradodd Warren Martin ar ran y Pwyllgor ac atgoffa aelodau'r Gymdeithas fod bryniau Eryri'n cynrychioli tair mil o flynyddoedd o hwsmonaeth fugeiliol, na ddylid ei anwybyddu'n ddifeddwl, a bod cyswllt anorfod rhwng ffermio, diwylliant ac iaith yng Nghymru.

Another frequent cause for complaint was **noise pollution** from low-flying jet aircraft and the proliferation of helicopters within the Park. Then, as now, the Ministry of Defence was blandly impervious to criticism. On the ground the sound of quad bikes and trials bikes was becoming common. On **Llyn Geirionydd** speed boats continued to jet up and down for the benefit of water-skiers even though a bilingual by-law had long since been drawn up by the Welsh Office and approved by the Home Office. The stumbling block was which language should take precedence in the event of a legal dispute. Gwynedd County Council insisted that it should be Welsh but the Home Office insisted on English. Neither side would budge. As Sion Scheltinga, a local resident, observed, "Over the past twenty years things have got steadily worse at Geirionydd and one has to wonder how this can be allowed to happen in a National Park".

Acid rain was a concern throughout this period, killing off insect life in many upland lakes and rivers and, as a result, affecting the fish and birds that preyed on them. Exacerbated by conifers and underlying geology, it was basically caused by emissions of sulphur and nitrogen oxides produced by transport, power stations and industry. **Nuclear power** was falling out of favour, due less to the obvious hazards than a belated recognition of the huge costs involved, not least in disposing of waste and decommissioning. (What to do with the hulk of Trawsfynydd power station has been an unresolved issue since 1993.) The need to encourage alternative sources of energy was recognised by government, and applications were increasing for **hydroelectric** and **wind-power** schemes. The Society's stance was to support such schemes in principle, provided they were on a small scale and could be built unobtrusively. Capitalising on the good working relationships established in the A5 Consortium, the Society formed the Wild and Scenic Rivers Campaign in partnership with the North Wales Wildlife Trust and Friends of the Earth, working both publicly and behind the scenes to ensure that no really controversial developments went on within the Park.

Cwyn gyffredin arall oedd **llygredd sŵn** o'r awyrennau jet oedd yn hedfan yn isel, a'r cynnydd yn yr hofrenyddion a ddaeth i'r Parc. Y dyddiau hynny 'roedd y Weinyddiaeth Amddiffyn yr un mor ddall a byddar i unrhyw feirniadaeth ag y maent heddiw. Ar y tir, 'roedd sŵn beiciau cwad a beiciau treialon yn fwyfwy cyffredin. Ar **Lyn Geirionnydd** 'roedd cychod cyflym yn parhau i wibio nôl ac ymlaen ar gyfer y sgïwyr-dŵr, er bod deddf-leol ddwyieithog wedi ei pharatoi gan y Swyddfa Gymreig, a'i chymeradwyo gan y Swyddfa Gartref. Y maen tramgwydd yn yr achos hwn oedd pa iaith ddylai gael blaenoriaeth petasai unrhyw anghydfod cyfreithiol yn codi. Safodd Cyngor Sir Gwynedd yn gadarn ar ran y Gymraeg, ond y Saesneg oedd dymuniad y Swyddfa Gartref. Nid oedd symud ar y naill ochr na'r llall. Fel y dywedodd Sion Scheltinga, un o'r trigolion lleol, "Mae pethau wedi gwaethygu yng Ngeirionnydd dros yr ugain mlynedd diwethaf. Sut mae hyn yn bosib mewn Parc Cenedlaethol?"

Pryder arall yn y cyfnod hwn oedd **glaw asid**. Lladdwyd llawer o'r pryfetach oedd yn bodoli mewn afonydd a llynnoedd uchel, a chafodd hyn effaith ar y pysgod a'r adar oedd yn eu bwyta. Yn sylfaenol, y sylffwr deuocsid oedd yn chwydu allan o geir, o orsafoedd pŵer a diwydiant oedd y prif reswm am hyn, ond 'roedd daeareg waelodol a choed coniffer hefyd yn gwneud y sefyllfa'n waeth. 'Roedd poblogrwydd **ynni niwclear** yn dechrau pylu erbyn hyn, nid oherwydd y peryglon amlycaf, ond yn hytrach oherwydd cost anferthol gwaredu'r gwastraff a digomisiynu. (Mae'r cwestiwn ynglŷn â beth i'w wneud ag anghenfil Trawsfynydd yn para heb ei ateb ers

1993) 'Roedd y llywodraeth wedi cydnabod fod angen annog darganfod ffynonellau amgen o greu egni, a 'roedd mwy a mwy o geisiadau'n cael eu gwneud ar gyfer cynlluniau **hydro-electrig** a **phŵer y gwynt**. Barn y Gymdeithas oedd y dylid cefnogi cynlluniau tebyg mewn egwyddor, ar yr amod y byddent ar raddfa fechan ac yn cael eu hadeiladu mewn modd na fyddai'n denu sylw. Drwy fanteisio ar y

berthynas waith dda a sefydlwyd yng Nghonsortiwm yr A5, ffurfiodd y Gymdeithas yr Ymgyrch dros Afonydd Gwyllt a Hardd ar y cyd ag Ymddiriedolaeth Bywyd Gwyllt Gogledd Cymru a Chyfeillion y Ddaear. Mae'r bartneriaeth wedi gweithio'n gyhoeddus, ac yn ddirgel, i sicrhau na fyddai unrhyw ddatblygiad gwirioneddol ddadleuol yn digwydd yn y Parc.

Enhancement

In terms of actually enhancing the landscape of Snowdonia as opposed to resisting inappropriate development, there were two important innovations in this period. The first was the **Farming and Landscape Awards**, the brainchild of Ken Jones, which were launched in 1993. The Awards, with cash prizes of £500, £300 and £200, were intended to recognise and reward conservation work and environmental good practice on farms. Ken reasoned that it is too easy for the public to be critical of farmers, forgetting or failing to notice the many positive initiatives going on in the countryside. The Awards were, and are, biennial, and by 1995 the entry was up from six to sixteen and by 1997 to nineteen. The Awards are presented at the Meirionnydd Agricultural Show, and over the years since they have helped to increase mutual respect and understanding between the public

and the farming community. For this credit is due not only to Ken Jones but also to Tecwyn Evans, who has been Chairman of the judges since the beginning, and other long-standing judges such as Warren Martin.

\\ The other innovation was **Operation Clear-up**, a monthly effort by a team of volunteers led by the enthusiastic Geoff Elliot and coordinated by Ruth Cox. It grew out of Operation Eyesore, which Esmé hd instigated as a way of celebrating the Society's silver jubilee. Although the intention had been to identify twenty-five eyesores within the Park, the Society ended up with a list of over sixty to be investigated, no less than twenty-three contributed by the pupils of Ysgol Eifionydd in Porthmadog. Clear-ups tackled in the first year included old fences on Arenig Fawr and in the Aber valley, fly-tipping near

Llan Ffestiniog, litter clearance at Pen y Pass and Llyn Tegid and rhodo-bashing with the National Trust in Nant Gwynant.

\\ Under the Society's new regime a number of other **projects** were supported financially, namely a new footbridge in Nant Ffrancon, an orienteering course in Beddgelert forest, Falcon Hildred's fine pictorial history of Blaenau Ffestiniog and Beddgelert's entry to Entente Florale, the European version of the Britain in Bloom competition which the village had won the previous year. Beddgelert was also the scene of some memorable social events when Christmas dinner cooked by Joan Firth, Elizabeth Holman and Ruth Cox was followed by spirited country dancing. On an even bigger scale was the Society's 25th birthday party in 1992. Using every one of Snowdon's many paths, members converged on the summit for the ceremonial cutting of an enormous cake. It was a happy occasion, when differences could be forgotten and achievements celebrated.

Left (clockwise from left) ~ Judging the Farming and Landscape Awards with (left to right) Kathryn Davies, Owen Gwilym Thomas (the competing farmer), Tecwyn Evans, Chair of the judges, and Warren Martin. **RO**
~ Geoff Elliott, the driving force behind Operation Clear-Up in its early days and for a time the Society's Vice-Chair. **SS**
~ Pupils of Ysgol Eifionydd, Porthmadog, who responded to the Society's call for 'eyesores' to be removed with a list of 23 sites. **AH**

Chwith (i'r dde yn null cloc) ~ Beirniadu'r Gwobrau Ffermio a Thirwedd gyda (chwith i'r dde) Kathryn Davies, Owen Gwilym Thomas (y ffarmwr sy'n cystadlu), Tecwyn Evans, Cadeirydd y beirniaid, a Warren Martin. **RO**
~ Geoff Elliott, y grym tu ôl i ddyddiau cynnar yr 'Ymgyrch Clirio Sbwriel', ac Is-Gadeirydd y Gymdeithas am gyfnod. **CE**
~ Disgyblion Ysgol Eifionydd, Porthmadog a ymatebodd i gais y Gymdeithas i gael gwared â'r 'doluriau llygad' gyda rhestr o 23 safle. **AH**

Gwelliant

Yng nghyswllt cynnig gwelliannau i dirwedd Eryri, yn hytrach na gwrthwynebu unrhyw ddatblygiad anaddas, bu dau ddatblygiad newydd yn ystod y cyfnod hwn. Y cyntaf oedd y **Gwobrau Ffermio a Thirwedd**, syniad Ken Jones, a lansiwyd ym 1993. Gwobrau ariannol o £500, £300 a £200 oedd y rhain, a 'roeddynt yn cydnabod ac yn gwobrwyo gwaith cadwraeth ac ymarfer amgylcheddol da ar y fferm. Tybiodd Ken ei bod yn rhy hawdd i'r cyhoedd feirniadu ffermwyr, gan anghofio, neu beidio a sylwi ar, nifer o gynlluniau positif oedd yn digwydd yng nghefn gwlad. Hyd heddiw mae'r Gwobrau'n cael eu rhoi bob dwy flynedd. Erbyn 1995 cododd y nifer oedd yn ymgeisio o chwech i un ar bymtheg, ac erbyn 1997 i bedwar ar bymtheg. Cyflwynir y Gwobrau yn ystod Sioe Amaethyddol Sir Feirionnydd, a thros y blynyddoedd maent wedi helpu i ennyn parch a gwella dealltwriaeth rhwng y cyhoedd a'r gymuned amaethyddol. Rhaid talu teyrnged am hyn, nid yn unig i Ken Jones, ond hefyd i Tecwyn Evans, Cadeirydd y beirniaid ers y dechrau, ac i feirniaid ffyddlon eraill fel Warren Martin.

❱❱ Y cynllun newydd arall oedd yr **Ymgyrch Clirio Sbwriel (Operation Clear-up)**, ymdrech fisol gan dîm o wirfoddolwyr a arweiniwyd yn frwd gan Geoff Elliot, ac a gyd-lynwyd gan Ruth Cox. Datblygiad oedd hwn o Ymgyrch Dolur Llygad (Operation Eyesore), a symbylwyd gan Esmé er mwyn dathlu jiwbilî arian y Gymdeithas. Er mai'r bwriad oedd adnabod ac archwilio pump ar hugain o'r creithiau hyn y tu mewn i'r Parc, yn y diwedd 'roedd mwy na thrigain ar restr y Gymdeithas. Disgyblion Ysgol Eifionydd, Porthmadog gyfrannodd dri ar hugain ohonynt. Yn ystod y flwyddyn gyntaf llwyddwyd i glirio hen ffensys

Isod ~ Yn torri cacen Pen-blwydd 25 y Gymdeithas ar gopa'r Wyddfa. Yn y blaen (chwith i'r dde) Esmé Kirby, Joan Firth, a wnaeth y gacen, Rod Hackney a David Firth. **CE**

Below ~ Cutting the 25th Anniversary cake on the summit of Snowdon. In front (left to right) Esmé Kirby, Joan Firth, who made the cake, Rod Hackney and David Firth . **SS**

ar Arennig Fawr ac yn nyffryn yr afon Aber, i glirio'r sbwriel ger Llan Ffestiniog, Pen y Pass a Llyn Tegid, ac i bwnio'r rhododendron gyda'r Ymddiriedolaeth Genedlaethol yn Nant Gwynant.

❱❱ Odditan gyfundrefn newydd y Gymdeithas, ariannwyd nifer o **brosiectau**, sef pont droed newydd yn Nant Ffrancon; cwrs cyfeiriadu yng nghoedwig Beddgelert; hanes gwych Falcon Hildred o Blaenau Ffestiniog mewn lluniau; ac ymgais Beddgelert yn yr Entente Florale, y fersiwn Ewropeaidd o Brydain mewn

Blodau, cystadleuaeth oedd y pentref wedi ei hennill y flwyddyn flaenorol. Cynhaliwyd nifer o weithgareddau cymdeithasol cofiadwy ym Meddgelert hefyd. Bu i Joan Firth, Elizabeth Holman a Ruth Cox goginio pryd Nadolig, a dilynwyd y cinio gan ddawnsio gwerin hynod fywiog. Ar raddfa ehangach cynhaliwyd parti pen-blwydd 25mlwydd oed y Gymdeithas ym 1992. Gan ddefnyddio pob un o lwybrau'r Wyddfa, daeth yr aelodau at ei gilydd ar y copa i gynnal seremoni torri cacen enfawr. 'Roedd yn achlysur hapus, pan anghofiwyd hen wahaniaethau, a dathlwyd y llwyddiannau.

Chwith ~ Afon Cwmllan, Hafod y Llan, Eryri. **PA**
Uchod ~ Llyn Gwynant o Hafod y Llan. **PA**

Left ~ Afon Cwmllan, Hafod y Llan, Snowdon. **PA**
Above ~ Llyn Gwynant from Hafod y Llan. **PA**

Drosodd ~
(chwith) Traeth Bennar, Morfa Dyffryn. **PA**
(dde) Llyn Pandora, Coedwig Gwydyr. **PA**

Overleaf ~
(left) Traeth Bennar, Morfa Dyffryn. **PA**
(right) Llyn Pandora, Gwydyr Forrest. **PA**

INTO THE PRESENT
HYD HEDDIW

Above ~ Dan James, the Society's
Operations Director, on the site of
the old Snowdon Summit Café. **AL**

Uchod ~ Dan James, Cyfarwyddwr
Gweithrediadau'r Gymdeithas ar
safle hen gaffi copa'r Wyddfa **AL**

The Society

The new Millennium was heralded by another unsettled spell at Tŷ Hyll, which reduced the effectiveness of the Society for a while. Ruth Cox retired in the autumn of 1999 to be replaced by the equally hardworking Rebecca Gwynne, and a few months later Rory Francis moved to the Woodland Trust, his place being taken by Rhodri Evans. When both Rhodri and Rebecca moved on after a couple of years, it was felt that the growing responsibility of the Administrator's job needed recognition. Accordingly, Marika Fusser and Stephanie Ashby were appointed Policy Director and Administrative Director respectively, with part-time administrative help from Dan James. Subsequently Dan, having held the fort single-handed for a time, became the new Operations Director, Rob Owen took over as Policy Director and Paul Lewis became Volunteer Coordinator and Administrative Officer. Currently, Christina Roberts has taken over the administrative role and Emma Edwards-Jones is working part-time for one year to run the Sustainable Energy and Tourism project (SEAT). This involves a website offering advice to local businesses and the creation of a Green Snowdonia Tourism Award. The post has been funded by CAE, a sustainable development fund set up by the Welsh Assembly.

With all these staff changes, the role of Chairman has been no sinecure. That the Society has thrived is thanks to the immense amount of time and effort put in by Cedric Milner, Morag McGrath (ecologists both, as chance would have it) and, valiantly stepping into the breach again, David Firth. Nowadays, the Society's officers are guided by subcommittees for Policy, Administration and Enhancement. Members of the Policy sub-committee, chaired by David Lewis, decide which of hundreds of planning applications received every year by the Park Authority the Society should object to or comment on. The same group takes on the complex task of responding to processes like the Welsh National Parks Review as well as the preparation of the National Park Management Plan and the Local Development Plan, which between them will determine planning policies within the Park for the foreseeable future. Easy though it is to be cynical about these paper exercises, it is better to be consulted than not and, these days, the Society's views are listened to. Much credit for this is due to David Lewis, whose Civil Service background enables him to decipher the arcane language of Cardiff and Whitehall. The National Park Authority, under its well-respected Chairman, Caerwyn Roberts, seems to make fewer controversial planning decisions than of yore and relations between the Society and the Park Authority in general are better than they have ever been. Some have argued that relations are almost too close. It is much harder to give someone a good kick when you are in bed with them ... On the other hand, the past has shown that cooperation does achieve more than confrontation. A delicate balancing act is required.

Y Gymdeithas

Wrth i'r Mileniwm newydd wawrio gwelwyd cyfnod ansefydlog arall yn Tŷ Hyll, a chafodd hyn ddylanwad niweidiol ar effeithiolrwydd y Gymdeithas am beth amser. Ymddeolodd Ruth Cox yn ystod hydref 1999, a daeth Rebecca Gwynne, oedd yr un mor weithgar, yn ei lle. Ychydig fisoedd wedyn aeth Rory Francis i weithio i Goed Cadw (the Woodland Trust), ac yn ei le daeth Rhodri Evans. Pan adawodd Rhodri a Rebecca ychydig o flynyddoedd yn ddiweddarach, teimlwyd fod angen cydnabod y cyfrifoldeb enfawr oedd yn disgyn fwyfwy ar ysgwyddau'r Gweinyddwr. Felly, apwyntiwyd Marika Fusser a Stephanie Ashby yn Gyfarwyddwr Polisi a Chyfarwyddwr Gweinyddol, gyda Dan James yn rhoi cymorth gweinyddol rhan-amser. Ar ôl hynny, wedi cyfnod o orfod cynnal popeth ar ei ben ei hun, crëwyd swydd newydd, ac apwyntiwyd Dan yn Gyfarwyddwr Ymgyrchu. Cymerodd Rob Owen yr awenau fel Cyfarwyddwr Polisi, ac apwyntiwyd Paul Lewis yn Gydlynydd Gwirfoddol ac yn Swyddog Gweinyddol. Ar hyn o bryd, Christina Roberts sy'n gweinyddu ac mae

Emma Edwards-Jones yn gweithio'n rhan-amser am flwyddyn yn rhedeg y prosiect Egni Cynaliadwy a Thwrisitiaeth (SEAT). Mae gwefan gan y prosiect sy'n cynnig cyngor i fusnesau lleol, a gwelwyd hefyd sefydlu Gwobr Twristiaeth Eryri Werdd. Mae'r swydd wedi ei hariannu gan Gronfa Arbrofol Eryri (CAE), cronfa ddatblygu gynaliadwy a sefydlwyd gan y Cynulliad.

❧ Oherwydd yr holl newidiadau, nid oedd swydd y Cadeirydd yn un segur. Diolch i David Firth, a gamodd i'r adwy unwaith yn rhagor, ac i ymdrechion diflino Cedric Milner a Morag McGrath (dau ecolegydd fel mae'n digwydd), mae'r Gymdeithas wedi ffynnu. Y dyddiau hyn mae swyddogion y Gymdeithas yn cael eu harwain gan is-bwyllgorau ar gyfer Polisi, Gweinyddu a Gwelliant. Aelodau o'r Is-bwyllgor Polisi, dan Gadeiryddiaeth David Lewis, sy'n penderfynu pa geisiadau cynllunio, o'r cannoedd sy'n cael eu derbyn gan Awdurdod y Parc bob blwyddyn, y dylai'r Gymdeithas roi sylwadau arnynt, neu eu gwrthwynebu. Yr un Grŵp sydd hefyd yn cyflawni'r

dasg anodd o ymateb i brosesau fel Adolygiad Parciau Cenedlaethol Cymru a pharatoi'r Cynllun Rheoli Parc Cenedlaethol a'r Cynllun Datblygu Lleol, fydd, ar y cyd, yn penderfynu ar y polisïau cynllunio o fewn y Parc yn y dyfodol agos. Er mai hawdd yw ymateb yn sinigaidd i'r ymarferion papur hyn, mae'n llawer gwell bod yn rhan o'r broses ymgynghori, ac mae clust i farn y Gymdeithas erbyn hyn. Mae llawer o'r diolch am hyn yn ddyledus i David Lewis. Mae ei gefndir yn y Gwasanaeth Sifil yn ei alluogi i ddehongli iaith hynafol Caerdydd a Whitehall. Ymddengys fod Awdurdod y Parc Cenedlaethol, dan Gadeiryddiaeth arbennig Caerwyn Roberts, yn gwneud llai o benderfyniadau cynllunio dadleuol nag yn y gorffennol, ac mae'r berthynas rhwng y Gymdeithas ac Awdurdod y Parc, ar y cyfan, yn well nag erioed o'r blaen. Mae rhai wedi dadlau fod y berthynas bron yn rhy glos. Mae'n llawer anos rhoi cic i rywun sydd yn rhannu'r un gwely ... Ar y llaw arall, dangoswyd yn y gorffennol y gellir cyflawni mwy drwy gyd-weithredu na thrwy wrthdaro. Mae angen pwyso a mesur yn ofalus.

Throughout this period there has been a regular programme of **walks and talks** for members, Mike Cousins' forays underground proving particularly popular. The occasional **conference** of the early nineties has become a well-attended annual event, airing such topics as 'Recreation and Access', 'Sustainable Energy' and 'The Future of the Uplands', with authoritative speakers from SNP, CCW, various universities, the Welsh Assembly and many other organisations. While the well-established **Drystone Walling Competition** and the **Farming and Landscape Awards** have helped the Society to relate to the wider community, photographic and **painting** **competitions, and workshops** led by Steve Lewis and David Woodford, have fostered artistic talent within the membership. Photographs by Steve Lewis, John Roberts and Pierino Algieri have continued to enhance *Eryri News,* and the publication of *Private Views of Snowdonia* will be one of the Society's more lasting legacies. Edited by Morag McGrath, *Private Views* is a collection of thirty essays by individuals with close links to the National Park, each illustrated by a superb photograph taken by Steve Lewis specifically for the book. The book was published in both English and Welsh, with the English version selling out within months it has since been reprinted.

Below ~ Competitors hard at work during one of the Society's annual dry-stone walling competitions. **DJ**

Isod ~ Cystadleuwyr wrthi'n ddiwyd yn ystod un o gystadlaethau blynyddol y Gymdeithas yn adeiladu waliau cerrig sychion **DJ**

Dde (top i'r gwaelod)
~ Ymddangos o'r
dyfnderoedd wedi
cyrch tanddaearol. RC
~ Mike Cousins (mewn
coch) a grŵp o ogof
drigianwyr hapus. VH

Right (top to bottom)
~ Emerging from
the depths after an
underground foray. RC
~ Mike Cousins (in red)
and a group of cheerful
troglodytes. VH

Chwith ~ Martin
Berry yn mynegi ei farn
ar ynni cynaliadwy
mewn cynhadledd yn
Nolgellau, 2004. DJ

Left ~ Martin Berry
demonstrating a point during
the conference on sustainable
energy in Dolgellau, 2004. DJ

Drwy'r cyfnod hwn mae rhaglen **deithiau cerdded a sgyrsiau** wedi ei chynnal yn gyson ar gyfer aelodau, gyda chyrchoedd tanddaearol Mike Cousins yn hynod o boblogaidd. 'Roedd y patrwm o **gynadledda** ysbeidiol, a ddechreuodd ar ddechrau'r nawdegau, hefyd yn boblogaidd, gyda siaradwyr awdurdodol o Barc Cenedlaethol Eryri, o Gyngor Cefngwlad Cymru, gwahanol Brifysgolion, y Cynulliad a nifer o wahanol sefydliadau yn cymryd rhan, ac yn trafod pynciau tebyg i 'Hamdden a Mynediad', 'Egni Cynaliadwy' a 'Dyfodol y Tiroedd Uchel'. Tra bod y **Gystadleuaeth Adeiladu Wal Gerrig Sych** a'r **Gwobrau Ffermio a Thirwedd**, sydd wedi eu hen sefydlu bellach, wedi bod o gymorth i'r Gymdeithas gyrraedd cymuned ehangach, mae **cystadlaethau ffotograffiaeth a pheintio**, a gweithdai gan Steve Lewis a David Woodford, wedi meithrin talent artistig oddi mewn i'r aelodaeth. Mae ffotograffiaeth Steve Lewis, John Roberts a Pierino Algieri yn dal i gyfoethogi Eryri News (Newyddion Eryri), a chyhoeddi *Private Views of Snowdonia* fydd etifeddiaeth bwysicaf y Gymdeithas. Casgliad o ddeg ar hugain o draethodau yw *Private Views* gan unigolion â ganddynt gysylltiadau agos â'r Parc Cenedlaethol. Morag McGrath yw'r golygydd, ac mae Steve Lewis wedi tynnu lluniau gwych yn arbennig ar gyfer y gyfrol. Mae wedi'i chyhoeddi yn Gymraeg ac yn Saesneg, a gwerthwyd pob copi o'r fersiwn Saesneg mewn ychydig fisoedd a bu'n rhaid ei ail-brintio.

At **Tŷ Hyll** the gardens are as colourful and attractive as ever but with a change of emphasis since the Society became a founder member of the Snowdonia Wildlife Gardening Partnership. A team of dedicated gardeners, 'Gnomes' no longer, led and inspired by Daphne Taylor and Eileen Evans, and latterly by Ruth Cox, labour year round to ensure that the public enjoys a visit to Tŷ Hyll and that the annual plant sale is a success. Both are important sources of income for the Society. Despite living in the Lake District, the indefatigable Gill Fildes has been responsible for building tool sheds and a wood store and for digging a pond which has increased the biodiversity of the garden. However, she would be the first to admit that she had many stalwart helpers in these projects, the unsung heroes who make the Society tick.

The ground floor of Tŷ Hyll continues to house a small shop but the museum has been replaced by an interpretation area. The layout for this, and a new look for the Society's promotional material, owe much to the skills of Peter Jones. The Society is also indebted to Bruce Atkins and Mary Heneghan, who have been employed to design most of the Society's literature over the last few years, including the publication of *Eryri News* and a booklet by Rob Collister which describes both the history of Tŷ Hyll and a walk through the woods behind it. Up in those woods there are now thirty-eight bird boxes, including one owl box, and several bat boxes. A moth survey in July 2003 found no fewer than eighty-six species in a single evening, while a botanical survey by students from Southampton University commented that 'A subtle yet effective management programme appears to have re-established a diverse and attractive woodland after many years of neglect.'

Left ~ Tŷ Hyll gardens. **JR**

Below ~ Bluebells (*Hyacinthoides non-scripta*) are a feature of the woodlands in spring. **MM** ~ Gill Fildes, instigator of many projects in Tŷ Hyll gardens and strong supporter of the Society's footpath work. **SL**

Chwith ~ Gerddi Tŷ Hyll **JR**

Isod ~ Mae clychau'r gog (*Hyacinthoides non-scripta*) yn nodwedd o'r coedwigoedd yn y gwangwyn. **MM** ~ Gill Fildes, a ysgogodd lawer cynllun yng ngerddi Ty Hyll ac sydd hefyd yn cefnogi'n frwd gwaith y Gymdeithas yn trwsio'r llwybrau troed. **SL**

Mae gerddi **Tŷ Hyll** mor lliwgar a deniadol ag eri-oed, ond fod y pwyslais wedi newid ers i'r Gymdeithas chwarae'i rhan yn sefydlu Partneriaeth Garddio Bywyd Gwyllt Eryri. Mae tîm o arddwyr brwd, nid 'Corachod' mohonynt bellach, o dan arweiniad Daphne Taylor ac Eileen Evans, a Ruth Cox yn fwyaf diweddar, yn gweithio drwy'r flwyddyn i sicrhau fod y cyhoedd yn mwynhau eu hymweliadau â Tŷ Hyll, a bod yr arwerthiant planhigion blynyddol yn llwyddiannus. Dyma ddwy ffynhonnell bwysig o incwm i'r Gymdeithas. Er ei bod yn byw yn Ardal y Llynnoedd, mae Gill Fildes wedi gweithio'n ddiflino ac wedi bod yn gyfrifol am adeiladu sied offer, ystorfa goed ac am greu pwll dŵr sydd wedi cynyddu bioamrywiaeth yr ardd. Ond hi fyddai'r cyntaf i gydnabod iddi gael cymorth amhrisiadwy gyda'r prosiectau hyn gan y lluoedd a weithiodd yn ddygn ac yn ddistaw y tu ôl i'r llenni - y bobl hyn sy'n sicrhau parhad y Gymdeithas.

Mae'r siop fach yn dal ar agor ar lawr gwaelod Tŷ Hyll, ond mae 'ardal ddehongli' wedi cymryd lle'r amgueddfa. Peter Jones oedd yn gyfrifol am y cynllun hwn, ac am ddeunydd hysbysebu'r Gymdeithas ar ei newydd wedd. Mae'r Gymdeithas hefyd yn ddyledus i Bruce Atkins a Mary Heneghan sydd wedi eu cyflogi i ddylunio'r rhan fwyaf o lenyddiaeth y Gymdeithas dros y blynyddoedd diwethaf, gan gynnwys cyhoeddi *Eryri News (Newyddion Eryri)* a llyfryn gan Rob Collister, sy'n adrodd hanes Tŷ Hyll a hefyd y daith gerdded drwy'r goedwig y tu ôl i'r tŷ. Mae tri deg wyth o focsys adar yn y coed erbyn hyn, gan gynnwys un bocs i dylluanod, a nifer o focsys i ystlumod. Wrth wneud arolwg i wyfynod yng Ngorffennaf 2003, darganfuwyd mwy nag wyth deg chwech o rywogaethau mewn un noswaith, tra gwelir mewn arolwg botanegol gan fyfyrwyr o Brifysgol Southampton, fod 'Rhaglen reoli gynnil ond effeithiol wedi ail-sefydlu coedwig amrywiol a deniadol wedi blynyddoedd o esgeulustra'.

Isod (chwith i'r dde) ~ Suran y coed (*Oxalis acetosella*), blodyn tlws arall sy'n tyfu yng nghoedwigoedd Tŷ Hyll yn y gwanwyn. **MM** ~ Rhan o'r gerddi deniadol sy'n amgylchynu Tŷ Hyll. **JR**

Below (left to right) ~ Wood Sorrel (*Oxalis acetosella*), another lovely spring flower of Tŷ Hyll's woodlands. **MM** ~ Part of the attractive gardens surrounding Tŷ Hyll. **JR**

Landscape issues

In this decade two events occurred, one of which had a huge short-term impact, while the other will be recognised in the future as being far more significant. The first was the **Foot and Mouth epidemic** of 2001, when millions of animals were slaughtered, prohibitions on the moving of stock caused severe problems for farmers even in uninfected areas, and a blanket ban on walking in the countryside led to empty pubs, cafes, shops, hotels, B&Bs, Youth Hostels and Outdoor Pursuit Centres all over rural Britain. In North Wales the outbreak was confined to Anglesey, leaving Snowdonia unaffected; but, despite the best snow and ice conditions for years in the mountains, the public supported the farming community and scrupulously observed the ban. As time went on, however, it became clear that those involved in outdoor recreation, be they mountain guides or hoteliers, were suffering even more than farmers. At the time the Society was heavily involved in negotiations to re-open popular places like Cwm Idwal and the Watkin path on Snowdon, both owned by the National Trust, and offered £5,000 towards the cost of keeping sheep out and people in those areas. Since then, the realisation has dawned that in purely economic terms (as opposed to cultural ones), tourism and outdoor recreation are vastly more important to Snowdonia than farming.

The second event was the passing of the **Countryside and Rights of Way Act** in 2000, in the teeth of fierce opposition from the landowning lobby, giving the public a legal right of access to uncultivated mountains and moorland throughout England and Wales. (In Scotland similar legislation actually went much further.) Although sustained pressure from the Ramblers' Association had led to the Right to Roam being included in the Labour Manifesto in 1997, it surprised everyone when the new Government did not take the easy way out and opt for a voluntary approach to access. In fact, it is unlikely that the CRoW Act would have made it onto the Statute Book without the personal support of the Minister involved, Michael Meacher, a rare case of a politician remaining true to his principles. It took several years for local access forums to be created and access maps to be drawn, but by 2005 the Act was in force. Contrary to gloomy expectations, not a single farmer was swept away by the predicted tidal wave of rude and licentious ramblers. In fact, in Snowdonia, where the National Park Wardens over the years have done a good job of negotiating access agreements and reducing conflict by erecting stiles and way-markers, very little has changed on the ground.

Right ~ The symbol of victory – the new Access sign indicating Open Access areas for walkers. **DJ**

Dde ~ Symbol o fuddugoliaeth – yr arwydd Mynediad newydd yn dangos ardaloedd Mynediad Agored i gerddwyr. **DJ**

Below (and bottom) ~ Common sights in 2001, with public access in the National Park banned to prevent the spread of Foot and Mouth disease. **SNPA**

Isod (a gwaelod) ~ Golygfeydd cyffredin yn 2001. Gwaharddiad rhag i'r cyhoedd gael mynediad i'r Parc Cenedlaethol er mwyn rhwystro Clwy'r Traed a'r Genau rhag ymledu. **APCE**

Materion tirwedd

Bu dau ddigwyddiad o bwys yn y ddegawd hon. Cafodd y naill effaith enfawr yn y tymor byr, ond bydd arwyddocâd y llall yn sicr o amlygu'i hun yn y dyfodol. Y cyntaf oedd *haint y* **Clwy'r Traed a'r Genau** yn 2001 pan fu'n rhaid lladd miliynau o anifeiliaid. Bu i'r gwaharddiadau ar symud stoc achosi problemau enbyd i ffermwyr hyd yn oed yn yr ardaloedd oedd heb eu heffeithio. Oherwydd bod cerdded yng nghefn gwlad wedi ei wahardd hefyd, 'roedd y tafarndai, y llefydd bwyta, y siopau, y gwestai, y llefydd Gwely a Brecwast, yr Hostelau Ieuenctid a'r Canolfannau Awyr Agored drwy Brydain wledig oll yn wag. Sir Fôn yn unig a welodd yr haint yng Ngogledd Cymru, ni effeithiwyd Eryri, ond ar waethaf cyflwr ardderchog yr eira a'r rhew yn y mynyddoedd, y gorau ers blynyddoedd, cefnogodd y cyhoedd y gymuned amaethyddol a chadw at lythyren y ddeddf yn fanwl. Wrth i amser fynd yn ei flaen, fodd bynnag, gwelwyd fod y rheiny oedd ynghlwm â gweithgareddau hamdden yn yr awyr agored, arweinwyr mynydd er enghraifft, neu berchnogion gwestai, yn dioddef yn fwy na'r ffermwyr. Ar yr adeg honno 'roedd y Gymdeithas wrthi'n ddygn yn trafod posibilrwydd ail-agor llecynnau poblogaidd fel Cwm Idwal a Llwybr Watcyn ar yr Wyddfa, y ddau'n perthyn i'r Ymddiriedolaeth Genedlaethol. Cynigiodd y Gymdeithas £5000 tuag at gostau cadw defaid allan o'r ardaloedd hynny gan ganiatáu mynediad i'r cyhoedd ar yr un pryd. Ers hynny, 'rydym wedi sylweddoli fod twristiaeth a gweithgareddau awyr agored yn llawer pwysicach i Eryri nag amaethyddiaeth, nid yn nhermau diwylliannol ond yn nhermau economaidd.

❱❱ Yr ail ddigwyddiad oedd pasio'r **Ddeddf Hawliau Tramwyo Cefn Gwlad** yn 2000. Rhoddodd hon hawl gyfreithlon i'r cyhoedd gael mynediad i fynyddoedd a rhostiroedd gwyllt Cymru a Lloegr, yng ngwyneb gwrthwynebiad chwyrn y perchnogion tir. (Aeth deddfwriaeth debyg yn yr Alban tipyn ymhellach). Er i'r pwysau parhaol gan Gymdeithas y Cerddwyr arwain at gynnwys yr Hawl i Grwydro ym Maniffesto'r Blaid Lafur ym 1997, cafodd pawb eu synnu pan ddewisodd y Llywodraeth newydd i beidio a dilyn y llwybr hawdd a dewis agwedd wirfoddol i fynedfeydd. A dweud y gwir, mae'n annhebygol y byddai'r Ddeddf hon wedi cyrraedd y Llyfr Statud heb gefnogaeth bersonol Michael Meacher, y Gweinidog - enghraifft anghyffredin o wleidydd yn sefyll yn gadarn dros ei egwyddorion. Dros y blynyddoedd gwelwyd creu fforymau mynedfeydd lleol a pharatoi mapiau mynedfeydd, ac erbyn 2005 'roedd y Ddeddf yn weithredol. Yn groes i'r disgwyliad, ni chafodd yr un ffermwr ei fygwth na'i sarhau gan griw o gerddwyr digywilydd ac anfoesgar. Mewn gwirionedd, yn Eryri mae Wardeiniaid y Parc Cenedlaethol wedi gwneud gwaith da ers blynyddoedd wrth drafod cytundebau mynediad, ac wedi mynd i'r afael ag unrhyw wrthdaro mewn modd synhwyrol. 'Roeddynt eisoes wedi codi camfeydd, a physt yn dangos y ffordd, ac o ganlyniad nid oes fawr wedi newid ar y tir.

Since Foot and Mouth, the expansion of **Tir Gofal** and other agri-environmental schemes, as well as the gradual replacement of headage subsidies based on the number of breeding ewes by a **Single Farm Payment** based on acreage (although with strings attached in the form of management agreements) has been good news for conservation. Stocking densities have been reduced, ending thirty years of over-grazing, the rampant spread of bracken is being countered by regular cutting and by reintroducing cattle to trample it, broad-leaved trees are being planted and existing woodlands are being fenced to allow regeneration. It has not been easy for farmers, especially older ones, who struggle with the increasingly complex paperwork and find it hard to understand the rationale. For conservationists, on the other hand, the reform of the Common Agricultural Policy is in many respects a case of too little too late, and whether it is sustainable in the enlarged European Union remains to be seen.

A significant event in 1998 was the purchase of **Hafod y Llan** farm on Snowdon (and **Gelli Iago** in the Moelwynion) by the National Trust. The Society was involved in preliminary negotiations and contributed a substantial sum to the appeal. But the purchase was not as significant perhaps as the price asked, and paid – £3.5 million. This was far over the market valuation and has had the effect of creating a 'conservation premium' on iconic wild land of this sort. The John Muir Trust, which was negotiating for a farm in the Rhinogydd at the time, was confronted overnight by a doubling of the asking price, which put it quite beyond reach. In retrospect, the National Trust could have driven a harder bargain to the benefit of everyone but Richard Williams, the owner. Nevertheless, the Trust is doing an excellent job of running its Snowdon estate as a model of viable conservation farming.

Above (left to right) ~ The traditional Welsh Black is becoming a familiar sight thanks to agri-environmental schemes such as Tir Gofal. **RC** ~ Hardy Welsh Mountain sheep still graze to the summits but their numbers are being reduced. **RC**

Uchod (chwith i'r dde) ~ Mae'r Gwartheg Duon Cymreig traddodiadol yn dod yn fwyfwy cyffredin, diolch i gynlluniau amaeth-amgylcheddol fel Tir Gofal **RC** ~ Mae Defaid Mynydd Cymreig gwydn yn dal i bori ar y copaon, ond mae eu nifer yn lleihau. **RC**

Ers Clwy'r Traed a'r Genau, mae ehangu **Tir Gofal** a chynlluniau amaeth-amgylcheddol eraill wedi bod o fudd i gadwraeth. 'Roedd disodli graddol y cymhorthdal a sylfaenwyd ar nifer y defaid magu, gan **Daliad Fferm Sengl**, a sylfaenwyd ar nifer yr erwau - ond ag ambell amod ynghlwm ag ef yn ffurf cytundebau rheoli - hefyd wedi bod o gymorth. Mae lleihau wedi digwydd yn nwysedd y stoc, ac mae gorbori wedi dod i ben, sefyllfa oedd wedi bodoli ers deng mlynedd ar hugain. Mae'r rhedyn sy'n tyfu'n gyflym ac yn rhemp yn cael ei docio'n gyson, ac mae gwartheg wedi cael eu hail-gyflwyno er mwyn sathru arno. Mae coed dail llydan yn cael eu plannu, ac mae coedlannau sydd eisoes yn tyfu yn cael eu ffensio er

mwyn hybu adfywio. Ni fu'n hawdd i'r ffermwyr, yn enwedig y to hŷn, sy'n gorfod ymrafael â'r gwaith papur dyrys, ac sy'n brwydro i ddeall y rhesymeg. I'r cadwraethwyr, ar y llaw arall, mae ailffurfio'r Polisi Amaethyddol Cyffredin wedi dod braidd yn rhy hwyr, a rhaid aros i weld os fydd y cynllun yn gynaliadwy wrth i'r Undeb Ewropeaidd ehangu.

Digwyddiad arwyddocaol ym 1998 oedd prynu **Hafod y Llan**, un o ffermydd yr Wyddfa, (a **Gelli Iago** yn y Moelwynion) gan yr Ymddiriedolaeth Genedlaethol. 'Roedd y Gymdeithas wedi chwarae rhan yn y trafodaethau cynharaf a rhoesant swm sylweddol o arian i'r Apêl. Ond efallai nad oedd y

pryniant mor arwyddocaol â'r pris a ofynnwyd ac a dalwyd amdano - £3.5 miliwn. 'Roedd hwn llawer uwch na phris y farchnad, ac o ganlyniad mae wedi creu 'premiwm cadwraethol' ar dir gwyllt eiconig o'r math yma. 'Roedd Ymddiriedolaeth John Muir wrthi'n trafod fferm ar y Rhinogydd yr un pryd, ond cafodd y pris ei ddyblu dros nos, crocbris oedd yn amhosib iddynt ei dalu. Wrth edrych yn ôl, gallai'r Ymddiriedolaeth Genedlaethol fod wedi taro bargen galetach er les pawb - heblaw am Richard Williams, y perchennog. Beth bynnag, mae'r Ymddiriedolaeth yn gwneud gwaith clodwiw yn cynnal ystâd Eryri fel patrwm o ffermio cadwraethol ymarferol.

Uchod ~ Dafydd Elis-Thomas a Bob Cole, Cadeirydd y Gymdeithas ar y pryd, gyda chyfraniad y Gymdeithas ar gyfer prynu Hafod y Llan. **CE**

Above ~ Dafydd Elis-Thomas and Bob Cole, the Society's Chair at the time, with the Society's contribution towards the purchase of Hafod y Llan. **SS**

Uchod ~ Yr Aran o Cwm Llan, darn o ystâd Eryri sy'n rhan o'r Ymddiriedolaeth Genedlaethol **RC**

Above ~ Yr Aran from Cwm Llan, part of the National Trust's Snowdon estate. **RC**

Enhancement

Enhancement activities have been an increasingly important part of the Society's work, acknowledged by several Keep Wales Tidy and Green Apple awards. The value of this work was also recognised by the National Park Authority when it agreed to CAE-fund the post of Volunteer Coordinator for three years. Making the most of the opportunity, Paul Lewis soon expanded the number of volunteer days in a year to thirty-two. Many of these continued to be **Clear-ups**, often working with National Park wardens, but **Footpath**

Restoration days led by Mike Cousins and Gill Fildes made significant improvements to the Crafnant and Cowlyd paths near Capel Curig, and there have been a number of **Conservation Days**. These tend to involve bashing rhododendrons or bracken or maintenance to the Tŷ Hyll woodland, although sometimes there are trees to be planted or wild goats to be counted. Paul has also liaised with the John Muir Trust and the Wilderness Foundation to provide worthwhile conservation activities for visiting groups.

Below (left to right) ~ Paul Lewis, Volunteer Coordinator, being presented with Keep Wales Tidy's Long-term Achievement Award by Caerwyn Jones, Welsh Assembly Government's Minister for the Environment. **Keep Wales Tidy** ~ Volunteers clearing up a fly-tipping site. **SS**

Isod (chwith i'r dde) ~ Paul Lewis, Gwirfoddolwr Cydlynu, yn derbyn Gwobr Cyrhaeddiad Tymor-hir Cadw Gymru'n Daclus, gan Caerwyn Jones, Gweinidog Amgylchedd y Cynulliad. **Cadwch Gymru 'n Daclus** ~ Gwirfoddolwyr yn clirio safle tip sbwriel **CE**

Gwelliant

Un agwedd o waith y Gymdeithas sy'n tyfu'n bwysicach o hyd yw cynnal a threfnu gweithgareddau er mwyn gwelliant, ac mae'r gwaith hwn wedi'i gydnabod wrth iddynt ennill nifer o wobrau Cadw Cymru'n Daclus a Gwobrau'r Afal Gwyrdd. Cafodd gwerth y gwaith hwn ei gydnabod gan Awdurdod y Parc Cenedlaethol hefyd pan gytunwyd i roi arian o Gronfa Arbrofol Eryri i greu swydd dair blynedd i Wirfoddolwr Cyd-lynu. Er mwyn gwneud yn fawr o'r cyfle penderfynodd Paul Lewis ymestyn y dyddiau gwirfoddol i dri deg dau. **Dyddiau Clirio** oedd nifer o'r rhain, â'r gwirfoddol-wyr yn aml yn gweithio ochr yn ochr â wardeniaid y Parc Cenedlaethol. Cyfrannodd y diwrnodau **Adfer y Llwybrau Troed**, o dan arweiniad Mike Cousins a Gill Fildes, yn enfawr at wella llwybrau Crafnant a Cowlyd ger Capel Curig. Mae nifer o **ddyddiau Cadwraeth** hefyd wedi eu cynnal. Mae'r rhain yn tueddu i fod yn ddyddiau pwnio rhododendron neu redyn, neu ddyddiau cynnal a chadw coedwig Tŷ Hyll, er bod rhaid plannu coed, neu gyfrif geifr gwyllt ambell waith hefyd. Mae Paul hefyd wedi cysylltu ag Ymddiriedolaeth John Muir a Sefydliad y Tir Gwyllt, er mwyn darparu gweithgareddau cadwraeth buddiol i grwpiau o ymwelwyr.

Chwith (o'r top chwith yn null cloc) ~ Dan James a Mike Cousins yn gweithio ar lwybr troed. **SL**
~ Mike Cousins, aelod gweithgar o'r Gymdeithas, sydd wedi arwain dyddiau cerdded a dyddiau adfer llwybrau troed ers deng mlynedd ar hugain. Ar hyn o bryd mae'n Ysgrifennydd Anrhydeddus. **PL**
~ Llosgi tocion rododendron, Nant Gwynant. **PL**

Left (clockwise from top left) ~ Dan James and Mike Cousins at work on a footpath. **SL**
~ Mike Cousins, who has been an active member leading walks and footpath repair days for the Society for thirty years and is currently Hon. Secretary. **PL**
~ Burning rhododendron brashings, Nant Gwynant. **PL**

The replacement of chain-link netting (which was not only ugly but unsafe) with something more pleasing to the eye at **Pont Cymerau**, a listed 17th-century stone footbridge near Blaenau Ffestiniog, seemed a simple enough project when Geoff Elliot first suggested it. In the event it took six years of protracted negotiations and site visits, not helped by staffing changes at Tŷ Hyll, to resolve conservation concerns over roosting bats and rare ferns, as well as planning concerns over access and health and safety. Adam Voelker's original design had to be abandoned and Falcon Hildred's simplified plans had to be painstakingly drawn and redrawn. By the time permission was finally given and a grant of £20,000 secured from Gwynedd County Council, Geoff Elliot, warm-hearted and popular Vice-Chair of the Society, was no longer alive to celebrate, but the work on the bridge has been dedicated to his memory. Ironically, only a year later the Society was protesting at a hideous and totally inappropriate bridge erected over a tiny stream behind Capel Curig by Conwy Borough Council, who consulted no-one. The battle now is to have it modified or removed.

One very worthwhile initiative early in the decade was the **Small Grants for Schools** scheme for environmental projects, made possible for five years by a generous bequest. Efforts to find a way of encouraging farmers to recycle plastic **silage wrappers**, which adorn fences and hedges everywhere, were overtaken when a national collection scheme was set up. Unfortunately, at the moment, the plastic has to be taken all the way to Scotland to be processed.

Left (left to right) ~ Demonstrating the unsafe as well as unsightly aspects of the chainlink fencing on Pont Cymerau. **DJ** ~ Pont Cymerau – the elegant parapets designed by Executive Committee member Falcon Hildred. **DJ**

Chwith (chwith i'r dde) ~ Dangos agweddau hyll a pheryglus ffensio dolen-gadwyn ar Pont Cymerau. **DJ** ~ Pont Cymerau – y canllawiau cain a ddyluniwyd gan Falcon Hildred (DJ), aelod o'r Pwyllgor Gweithredol **DJ**

Uchod ~ Y bont islaw Clogwyn Mawr yn croesi Nant y Geuallt. (Chwith i'r dde.)
Cynt – ddim yn hardd efallai ond yn gwbl ymarferol. **DJ**
Wedyn – Syniad Cyngor Bwrdeistref Sirol Conwy o 'welliant'. **DJ**

Above ~ The bridge below Clogwyn Mawr crossing the Nant y Geuallt. (Left to right.)
Before – not beautiful but perfectly functional. **DJ**
After – Conwy Borough County Council's idea of 'enhancement'. **DJ**

❧ Pan awgrymodd Geoff Elliot fod angen rhywbeth yn lle'r netin dolen-gadwyn hyll a pheryglus ym **Mhont Cymerau**, pompren gerrig rhestredig o'r ail ganrif ar bymtheg, ger Blaenau Ffestiniog, nid oedd neb wedi rhagweld unrhyw anhawster. Yn y diwedd bu'n rhaid cynnal chwe blynedd o drafodaethau ac ymweliadau â'r safle, cyn datrys problemau cadwraethol ynglŷn ag ystlumod oedd yn clwydo yno, y rhedyn prin, a'r pryderon ynglŷn â mynediad, iechyd a diogelwch. Nid oedd y newidiadau yn staff Tŷ Hyll yn helpu chwaith. Rhaid oedd rhoi'r gorau i gynllun gwreiddiol Adam Voelker, a rhaid oedd llunio ac ail-lunio cynlluniau symledig Falcon Hildred yn drylwyr. Erbyn i'r caniatâd gael ei roi, ac i grant o £20,000 gan Gyngor Sir Gwynedd ei dderbyn, nid oedd Geoff Elliot, Is-Gadeirydd poblogaidd a hynaws y Gymdeithas, yma bellach i ddathlu, ond mae'r gwaith ar y bont wedi ei gyflwyno er cof amdano. Yn eironig ddigon, blwyddyn yn ddiweddarach 'roedd y Gymdeithas yn protestio yn erbyn pont gwbl anaddas oedd wedi ei chodi gan Gyngor Bwrdeistref Conwy dros nant fechan y tu ôl i Gapel Curig, heb unrhyw drafodaeth. Mae'r frwydr ar droed naill ai i'w haddasu, neu i'w symud oddi yno'n gyfan gwbl.

❧ Un fenter werthfawr iawn ar ddechrau'r ddegawd oedd cynllun **Grantiau Bychain i Ysgolion** ar gyfer prosiectau amgylcheddol, a diolch i rodd hael, aeth y cynllun yn ei flaen am bum mlynedd. Cafodd cynlluniau i annog ffermwyr i ail-gylchu'r plastig a ddefnyddir i **lapio silwair**, plastic sy'n addurno ffensys a gwrychoedd ym mhobman, eu goddiweddyd gan gynllun casglu cenedlaethol. Yn anffodus rhaid i'r plastig fynd yr holl ffordd i'r Alban ar gyfer ei brosesu ar hyn o bryd.

Above (left to right) ~ Dafydd Wigley,
Robin Llewellyn and Trevor Fishlock at the
launch of the Snowdon Summit Appeal. **DJ**

Uchod (chwith i'r dde) ~ Dafydd Wigley,
Robin Llywelyn a Trevor Fishlock yn
lansiad Apêl Copa'r Wyddfa. **DJ**

Above ~ A steam engine on the Snowdon
railway near Clogwyn station. **RC**

Uchod ~ Injan stêm ar Reilffordd yr
Wyddfa ger gorsaf Clogwyn. **RC**

⟍ Easily the biggest enhancement project of this period, however, was the new building for the summit of **Snowdon** to replace what Prince Charles once described as the highest slum in Britain. Both European and Welsh Assembly Government money had been promised, but a £2 million shortfall had to be found within a matter of months. Because the Park Authority was not allowed to fund-raise for itself, at the Society's suggestion a fund was set up, to be managed from Tŷ Hyll. Over the next nine months the Society's staff devoted a great deal of time to this and, although the £350,000 raised was far short of the goal, it demonstrated the widespread support for the project and was sufficient for additional European money to be found to cover the rest. This was undoubtedly a success for the Society and was greatly appreciated by the Park Authority. Nonetheless, it is hard to see what can be done about the smell of coal and diesel round the summit, clouds of acrid sulphurous smoke will still envelope walkers on the path from Llanberis and, on still days, poisonous smog will continue to hang over the café and car park at the bottom.

⟍ Following the success of the fundraising enterprise, the Park Authority and the Society are discussing setting up the **Eryri Trust Fund**, an independent body with Trustees from both organisations plus other individuals. The main responsibility of the Trustees would be to raise and distribute funds for projects within the National Park.

Uchod ~ Hen adeilad copa'r Wyddfa wedi'i ddymchwel o'r diwedd yn Hydref 2006. **DJ**

Above ~ The old Snowdon summit building, finally demolished in Autumn 2006. **DJ**

Dde ~ Netti Collister (canol) a Mike Cousins (dde), aelodau o'r pwyllgor, gyda pheiriannydd y safle ar gyfer cynllun Gwella'r A470 yn Nyffryn Lledr, yn pwysleisio'r angen i gadw rhai cilfachau parcio. **DJ**

Right ~ Committee members Netti Collister (centre) and Mike Cousins (right) with the site engineer for the A470 Improvement scheme in the Lledr Valley, stressing the need for a few lay-bys to be retained. **DJ**

Heb os nac oni bai'r prosiect a gynigiodd y gwelliant mwyaf yn y cyfnod hwn oedd codi adeilad newydd ar gopa'r **Wyddfa**, yn lle'r hyn a ddisgrifiwyd unwaith gan Dywysog Cymru fel hofel uchaf Prydain. 'Roedd Ewrop, a Llywodraeth y Cynulliad, wedi addo swm o arian, ond 'roedd rhaid ffeindio'r diffyg o £2 filiwn mewn ychydig fisoedd. Oherwydd nad yw'n bosib i Awdurdod y Parc godi arian iddo'i hun, awgrymodd y Gymdeithas y dylid sefydlu cronfa yn Nhŷ Hyll, a'i rhedeg oddi yno. Dros y naw mis canlynol gweithiodd staff y Gymdeithas yn ddiwyd, ac er mai £350,000 a gasglwyd - tipyn llai na'r nod - dangoswyd cefnogaeth gyffredinol brwd i'r prosiect, a bu hyn yn ddigon i sicrhau arian ychwanegol o Ewrop ar gyfer y gweddill. 'Roedd Awdurdod y Parc yn gwerthfawrogi'r llwyddiant pwysig hwn gan y Gymdeithas. Er hynny, mae'n anodd gweld beth ellir ei wneud ynglŷn â'r arogl glo a disel ar y copa; y cymylau o fwg sylffyraidd hyll fydd yn dal i groesawu'r cerddwyr ar y llwybr o Lanberis; a'r hen fwrllwg gwenwynig fydd yn parhau i hofran uwchben y caffi a'r maes parcio ar y gwaelod, pan fydd y tywydd yn fwyn.

Yn dilyn llwyddiant yr ymgyrch godi arian, mae Awdurdod y Parc a'r Gymdeithas yn trafod sefydlu **Cronfa Ymddiriedolaeth Eryri**, corff annibynnol gydag Ymddiriedolwyr o'r ddau sefydliad yn rhan ohoni, ynghyd ag unigolion eraill. Prif gyfrifoldeb yr Ymddiriedolwyr fydd codi arian a rhannu nawdd i brosiectau oddi mewn i'r Parc Cenedlaethol.

Above (left to right) ~ The Aberglaslyn railway tunnels, now lost to walkers. **AP**
~ The alternative to the tunnels, the Fisherman's path along the beautiful Aberglaslyn gorge, seen here before recent improvements to the footpath. **MM**

Uchod (chwith i'r dde) ~ Twneli rheilffordd Aberglaslyn sydd erbyn hyn ar goll i gerddwyr. **AP**
~ Yr amgen i'r twnneli, llwybr y Pysgotwyr ar hyd ceunant hardd Aberglaslyn, cyn y gwelliannau diweddar i'r llwybr. **MM**

Policy issues

An important event that occurred in 1998 was the mystifying decision by John 'Two Jags' Prescott, Minister for the Environment, Transport and the Regions, just three days before the new Welsh Assembly would have taken it out of his hands, to permit the reopening of the **Welsh Highland Railway** from Caernarfon to Porthmadog via the Aberglaslyn Pass. This overturned the recommendation of the Inspector at the Public Inquiry and was mortifying in the extreme for the Society, along with the Ramblers' Association, the National Farmers' Union and all the other bodies, including the Park Authority, who had worked for so long to prevent it. In the end, nothing could be done but ensure that the railway company honour pledges made at the Inquiry to reinstate footpaths and minimise environmental impact.

⫽ One scheme that the Society's Committee supported in principle, if not in detail, was the **Green Key** plan for local transport. This recommended parking charges of up to £10 a day and reduced parking in core areas like the Ogwen Valley and Llanberis pass. Motorists would have been encouraged to use Park and Ride services based on Gateway villages like Bethesda, Betws y Coed and Llanberis. The proposals met with a hostile reception from shop-keepers and café-owners in the smaller villages, and from local and visiting walkers and climbers unimpressed by the efficiency and frequency of the existing Sherpa bus service. They pointed out that parking only becomes an acute problem at bank holidays and on fine summer weekends, a relatively small number of days in a

year. Taken aback by the vehemence of the opposition, the partnership responsible (which includes the Park Authority and Conwy and Gwynedd County Councils) is for the time being concentrating on improving public transport and managing parking better.

⫽ Fears that the **semi-feral ponies** that roam the Carneddau might be destroyed as a result of European Union legislation have receded. CCW stepped in to pay the initial costs of an equine passport and identity chip for each animal, which the farmers concerned felt they could not afford. The Society was among those actively seeking exemption for this unique breed.

Dde (chwith i'r dde) ~ Bws Sherpa – gwasanaeth a gynlluniwyd nid yn unig ar gyfer y bobl leol, ond i annog ymwelwyr i ddefnyddio trafnidiaeth gyhoeddus yn amlach, ac yn cynnig mwy o bosibiliadau ar gyfer rhodio llwybrau hirlyn. **EE-J** ~ Merlod hanner-gwyllt, un o nodweddion deniadol y Carneddau, fe'u bygythiwyd ar un cyfnod gan ddeddfwriaeth yr Undeb Ewropeaidd ar basports i geffylau. **RC**

Right (left to right) ~ Sherpa bus – a service designed not only for local people but to encourage visitors to use public transport more and offering more possibilities for linear walks. **EE-J** ~ Semi-feral ponies, an attractive feature of the Carneddau, for a time threatened by the European Union legislation on equine passports . **RC**

Materion polisi

Un o ddigwyddiadau pwysig 1998 oedd penderfyniad annealladwy John 'Two Jags' Prescott, Gweinidog dros yr Amgylchedd, Trafnidiaeth a'r Ardaloedd, dridiau'n unig cyn y byddai'r mater wedi ei drosglwyddo i ddwylo'r Cynulliad, i ganiatáu ailagor **Rheilffordd Ucheldir Cymru** o Gaernarfon i Borthmadog, drwy Fwlch Aberglaslyn. 'Roedd hyn yn mynd yn erbyn argymhelliad yr Arolygwr yn yr Ymchwiliad Cyhoeddus, ac yn benderfyniad hynod siomedig i'r Gymdeithas, i Gymdeithas y Cerddwyr, i Undeb Cenedlaethol y Ffermwyr, a'r holl gyrff eraill – yn cynnwys Awdurdod y Parc - oedd wedi gweithio mor ddygn ac mor hir i'w rhwystro. Yn y pen draw nid oedd yn bosib gwneud dim, ond sicrhau fod y cwmni rheilffordd yn anrhydeddu'r addewidion a wnaethpwyd yn yr Ymchwiliad i ail-osod llwybrau a chael yr effaith leiaf posib ar yr amgylchedd.

Un cynllun a gefnogwyd gan Bwyllgor y Gymdeithas ar egwyddor, os nad mewn manylder, oedd cynllun y **Goriad Gwyrdd** ar gyfer trafnidiaeth leol. Cafodd costau parcio o hyd at £10 y diwrnod eu hargymell, ynghyd â lleihau'r parcio mewn ardaloedd craidd fel Dyffryn Ogwen a Bwlch Llanberis. Byddai gyrwyr ceir yn cael eu hannog i ddefnyddio'r gwasanaethau 'Parcio a Theithio' oedd wedi'u sefydlu mewn pentrefi ar gyrion Eryri fel Bethesda, Betws y Coed a Llanberis. Derbyniad oeraidd gafodd y cynigion hyn gan siopwyr a pherchnogion tai bwyta'r pentrefi llai, a gan gerddwyr a dringwyr lleol ac ymweliadol nad oeddynt yn rhy hapus ag effeithiolrwydd ac amlder y gwasanaeth bws Sherpa oedd eisoes yn bodoli. Eu dadl oedd mai dim ond yn ystod gwyliau banc a phenwythnosau braf yn yr haf oedd parcio'n broblem fawr - nifer fach iawn o ddyddiau mewn blwyddyn. Wedi eu syfrdanu

ag angerdd y gwrthwynebiad, mae'r bartneriaeth sy'n gyfrifol am y cynnig (sy'n cynnwys Awdurdod y Parc a Chynghorau Sir Conwy a Gwynedd) yn canolbwyntio ar wella trafnidiaeth gyhoeddus a chael gwell reolaeth ar y system barcio.

\\ Mae'r ofnau y byddai posibilrwydd i **ferlod hanner-gwyllt** y Carneddau gael eu difa, o ganlyniad i ddeddfwriaeth gan yr Undeb Ewropeaidd, wedi cilio. Gan i'r ffermwyr ofni nad oeddynt yn medru fforddio talu am y cynllun, camodd Gyngor Cefngwlad Cymru i'r adwy gan ddarparu pasport i'r ceffylau, a sglodyn adnabod i bob anifail. 'Roedd y Gymdeithas ym mysg y rheiny oedd yn chwilio'n ddygn am eithriad i'r rhywogaeth arbennig hon.

On **Llyn Geirionydd**, an Environment Agency report found, curiously, that bathers and picnickers made more noise than powerboats, and the Park Authority decided that managed use was preferable to a ban. It remains a mystery how a club with a mere sixteen members has persisted for so long in an activity so blatantly at odds with the purpose of a National Park. Meanwhile, **trials bikes** have become a serious problem, badly scarring the landscape in the Moelwynion behind Blaenau Ffestiniog and in the northern Carneddau. Short of using the police helicopter, it is hard to see how this particular problem can be tackled.

Right ~ Wind turbines on Moel Maelogen above Llanrwst. **RO**

Dde ~ Tyrbinau gwynt ar Moel Maelogen uwchben Llanrwst. **RO**

A notable success came in 2005. Following a joint representation to the Electricity Regulator by the Society, Friends of the Lake District and the Council for National Parks, Scottish Power announced that they had earmarked £5.3 million to be spent over five years on **undergrounding cables** in North Wales. It has been agreed that priority will be given to the Crimea Pass, Dyffryn Mymbyr and the Nant Ffrancon.

In the late nineties the proliferation of **mobile phone masts** was a cause for concern. The Society was so impressed by the neat solution found by Orange, disguising two masts as flagpoles on top of St Mary's Church in Betws y Coed, that it nominated the company for a Conwy Valley Civic Society award. Most were not so unobtrusive, however. Of twenty applications for masts received in a single year, the Park Committee approved twelve, considerably more than the Society would have liked.

However, fears about phone masts paled into insignificance beside the threat posed to landscape values by **wind turbines**. This is still a burning issue and one that has polarised the environmental lobby. In one corner is the Education Officer for the Centre for Alternative Technology, who declared in conversation that nothing would delight him more than to see a wind turbine on top of every hill in Wales. In the other corner is the Bishop of Hereford, who famously described the massive Cefn Croes wind farm in South Wales as an act of vandalism comparable to the destruction of the Buddhas of Bamiyan by the Taliban. National Parks are, at present, not at risk, but the Society is concerned about developments close to the Park boundary. To date, it has been heavily involved in resistance, ultimately successful, to the Mynydd Hiraethog scheme on the Denbigh Moors (28 turbines, each 300 feet high) which would have been clearly visible from within the Park; and to the even closer, if smaller, scheme at Moel Maelogen above Llanrwst. Although many members of the Society do not object to off-shore wind farms like that at East Hoyle, all the signs are that the Welsh Assembly is determined to press ahead with more cost-effective on-shore sites. With decisions on all large-scale schemes to be taken in Cardiff or London rather than locally it seems that it is only a matter of time before the wind-turbine blight spreads from mid to north Wales. If such developments promised to make a significant contribution to Britain's energy needs they would be easier to accept. But it is all too clear that wind farms are simply political window-dressing. Like conifer plantations in the sixties and seventies, they will make a few people rich whilst devastating the landscape. If and when the turbines are dismantled, the access roads and concrete plinths will remain. Meanwhile, there has been no genuine attempt to grasp the nettle of energy conservation and reduced consumption. New roads and new runways continue to be approved. Carbon dioxide emissions are still increasing in Wales as in the UK as a whole and the temperature of the earth continues to rise ...

Yn rhyfedd ddigon, ar **Llyn Geirionnydd**, adroddwyd gan Asiantaeth yr Amgylchedd fod nofwyr a phobl yn cael picnic yn fwy swnllyd na'r cychod cyflym, a phenderfynodd Awdurdod y Parc fod rheolaeth yn well na gwaharddiad. Mae'n ddirgelwch sut y mae clwb, ag aelodaeth o un ar bymtheg yn unig, wedi para mor hir i gymryd rhan mewn gweithgaredd sydd yn gwbl groes i ddiben Parc Cenedlaethol. Yn y cyfamser, mae **beiciau treialon** wedi mynd yn broblem ddifrifol. Maent yn gadael creithiau mawr ar y dirwedd yn y Moelwynion y tu cefn i Flaenau Ffestiniog ac yng ngogledd y Carneddau. Heb ddefnyddio hofrenydd yr heddlu, mae'n anodd gweld sut y gellir mynd i'r afael â'r broblem hon.

Cafwyd llwyddiant nodedig yn 2005. Yn dilyn cynrychiolaeth ar y cyd gan y Gymdeithas, Cyfeillion Ardal y Llynnoedd a'r Cyngor ar gyfer Parciau Cenedlaethol, dywedodd Scottish Power, y Rheolydd Trydan, fod £5.3 miliwn wedi'i glustnodi i'w wario dros gyfnod o bum mlynedd ar osod **ceblau o dan ddaear** yng Ngogledd Cymru. Fe gytunwyd y dylid rhoi blaenoriaeth i Fwlch y Crimea, Dyffryn Mymbyr a Nant Ffrancon.

Ar ddiwedd y nawdegau 'roedd toreth y **mastiau ffonau symudol** yn boendod. 'Roedd cynllun Orange, o guddio dau fast fel polion baner ar ben Eglwys y Santes Fair ym Metws y Coed, wedi creu cymaint o argraff ar y Gymdeithas, fel i'r cwmni gael ei enwebu am wobr Gymdeithas Ddinesig Dyffryn Conwy. Nid oedd y mwyafrif ohonynt wedi eu cuddio mor gynnil, fodd bynnag. O'r ugain cais a ddaeth gerbron Pwyllgor y Parc mewn un flwyddyn yn unig, deuddeg a ganiatawyd, tipyn mwy na fyddai'r Gymdeithas wedi'i ddymuno.

Beth bynnag, buan iawn y pylodd yr ofnau ynglŷn â mastiau ffôn pan ddaeth bygythiad y **tyrbinau gwynt** i'r amlwg. Mae hwn dal yn bwnc llosg, ac un sydd wedi pegynnu'r garfan amgylcheddol. Ar un ochr mae Swyddog Addysg y Ganolfan Dechnoleg Amgen, sydd wedi sôn mewn sgwrs na fyddai'r un dim yn ei blesio'n fwy na gweld tyrbin gwynt ar gopa pob bryn yng Nghymru. Ar yr ochr arall mae Esgob Henffordd, a gyffelybodd fferm wynt anferthol Cefn Croes yn Ne Cymru i weithred o fandaliaeth i'w chymharu â'r Taliban yn dinistrio Bwdïaid Bamiyan. Ar hyn o bryd nid oes perygl i'r Parciau Cenedlaethol, ond mae'r Gymdeithas yn pryderu am ddatblygiadau sy'n agos i ffiniau'r Parc. Hyd yma maent wedi bod yn llwyddiannus yn gwrthwynebu cynllun Mynydd Hiraethog (28 tyrbin a phob un yn 300 troedfedd o uchder), a fyddai wedi bod yn gwbl amlwg o'r tu mewn i'r Parc; a'r cynllun llai, ond tipyn agosach, ar Foel Maelogen uwchben Llanrwst. Er nad oes llawer o aelodau'r Gymdeithas yn gwrthwynebu ffermydd gwynt ar y môr, fel honno yn East Hoyle, mae'r arwyddion yn dangos fod y Cynulliad yn benderfynol o fwrw 'mlaen â'r safleoedd ar y tir, sydd dipyn yn fwy cost-effeithiol. Gan fod pob penderfyniad ynglŷn â chynlluniau ar raddfa fawr yn cael eu gwneud yng Nghaerdydd neu yn Llundain, yn hytrach nag yn lleol, mae'n debyg mai mater o amser yn unig fydd hi hyd nes bydd pla'r tyrbinau gwynt yn lledu o'r Canolbarth i Ogledd Cymru. Petai datblygiadau o'r fath yn sicr o wneud cyfraniad pendant i anghenion egni Prydain, byddai'n haws eu derbyn. Ond mae'n amlwg mai sioe wleidyddol yn unig yw'r ffermydd gwynt hyn. Yn debyg i blanhigfeydd conwydd y chwedegau a'r saithdegau, byddant yn dod â chyfoeth i rai pobl, gan ddifrodi'r tirwedd ar yr un pryd. Os, a phryd, fydd y tyrbinau'n cael eu dymchwel, bydd y ffyrdd mynedfa tuag atynt a phob plinth concrid yn cael eu gadael yno. Yn y cyfamser nid oes neb mewn gwirionedd wedi mynd i'r afael â'r mater o arbed ynni a lleihau'r defnydd ohono. Mae ffyrdd newydd a rhedfeydd newydd yn dal i gael eu cymeradwyo; mae allyriad carbon deuocsid yng Nghymru a Phrydain gyfan, a thymheredd y ddaear, yn parhau i godi...

Isod ~ Difrod gan feic treial ar lechwedd agored. **Heddlu Gogledd Cymru**

Below ~ Trials bike damage on an open hillside. **North Wales Police**

Conclusion

Looking back on the changes that have taken place in Snowdonia over the last forty years can be depressing. The protection afforded by National Park status has often proved illusory and there is no denying that the landscape and its biodiversity have been sorely diminished. The Society, one might say, has won a few skirmishes, even the odd battle, but seems to be losing the war. And yet it was ever thus. In 1973 Showell Styles was regretting the advent of outdoor pursuits centres, club huts and the increasing numbers of walkers and climbers in the hills. In 1925 George Lister was lamenting a railway running through Aberglaslyn and the disfiguring of the Carneddau by the dams, pipes and leats of the Dolgarrog hydroelectric scheme. Every generation, it seems, looks back nostalgically on the countryside of its youth. Those growing up accept what they find and in turn seek to defend it. Change is inevitable, whether it be in the affairs of man or in nature. Describing the subtleties of a Welsh landscape, so much finer than any painting, R.S. Thomas concludes:

All through history
That great brush has not rested,
Nor the paint dried; yet what eye,
Looking coolly, or, as we now,
Through the tears' lenses, ever saw
This work and it was not finished?

To an extent, one must 'go with the flow' or end up jaundiced and cynical. But only to an extent. Left to elected representatives, be it at national or local level, commerce and convenience usually prevail over beauty and wildness. Perfectly valid concerns for the social and economic health of local communities and concepts such as 'cynefin', describing a local Welsh-speaker's cultural attachment to the land, sometimes become a cloak for straightforward avarice. The Society and its allies have played a vital role as a counterbalance to this tendency. And these mountains of ours are still worth fighting for. They can still evoke powerful feelings, be they exhilaration, fear, humility or reverence. One has to work a little harder to be alone; it takes an element of luck to escape, even briefly, man-made noise. But Snowdonia is still a place where wonder and delight lie in wait to ambush those with open eyes and a receptive mind.

Casgliad

Gallai edrych nôl ar y newidiadau fu yn Eryri yn ystod y deugain mlynedd diwethaf fod yn broses ddigalon. Nid yw statws Parc Cenedlaethol bob tro yn sicrhau unrhyw amddiffyniad gwirioneddol, fel y profwyd droeon, ac nid oes amheuaeth fod y tirwedd a'r bioamrywiaeth wedi cael eu heffeithio'n sylweddol. Gellir dweud fod y Gymdeithas wedi ennill ambell i frwydr, ond ymddengys eu bod ar fin colli'r rhyfel. Ond fel hyn bu hi erioed. Ym 1973 'roedd Showell Styles yn gresynu sefydlu'r canolfannau awyr agored, y cytiau clwb a'r niferoedd mawr o gerddwyr a dringwyr oedd ar y bryniau. Ym 1925 'roedd George Lister yn cwyno am y rheilffordd oedd yn rhedeg drwy Aberglaslyn, a bod pob argae, pibell a ffrwd oedd yn perthyn i gynllun hydro-electrig Dolgarrog yn creithio'r Carneddau. Mae pob cenhedlaeth yn hiraethu am gefn gwlad ei hieuenctid. Mae'r sawl sy'n tyfu ac yn aeddfedu yn derbyn beth sydd yno, ac yn ei dro'n ceisio'i amddiffyn. Mae newid yn anochel, mewn dyn ac ym myd natur. Wrth ddisgrifio holl gynildeb y tirwedd Cymreig, yn llawer gwell nag unrhyw ddarlun, dywed R.S. Thomas:

All through history
That great brush has not rested,
Nor the paint dried; yet what eye,
Looking coolly, or, as we now,
Through the tears' lenses, ever saw
This work and it was not finished?

❧ Er mwyn peidio chwerwi a bod yn gwbl sinigaidd, mae'n rhaid, ar un wedd, 'ddilyn y llif' - ond i raddau'n unig. Os gadewir pethau yn nwylo cynrychiolwyr etholedig, boed yn lleol neu'n genedlaethol, bydd masnach a chyfleustra'n trechu harddwch a gwylltineb bron bob tro. Mae pryderon gwbl ddilys i iechyd cymdeithasol ac economaidd pob cymuned leol, ac mae cysyniad fel cynefin, sy'n disgrifio ymrwymiad diwylliannol siaradwr Cymraeg lleol i'w dir, weithiau'n cuddio dim llai na chybydd-dod syml. Mae'r Gymdeithas a'i chynghreiriaid wedi chwarae rhan hollbwysig wrth gadw cydbwysedd yng ngwyneb y tueddiad hwn. Ac mae'n dal yn werth ymladd dros y mynyddoedd hyn sy'n perthyn i ni ac sy'n gallu ennyn teimladau pwerus, teimladau o lawenydd, o ofn, o wyleidd-dra neu o barch. Rhaid gweithio ychydig bach yn galetach i gael llonydd. Rhaid wrth elfen o lwc i ddianc rhag sŵn y byd a'i bethau, hyd yn oed am gyfnod byr. Ond erys Eryri'n llawn rhyfeddod a swyn i'r sawl sydd â llygad i weld a chlustiau i wrando.

POSTSCRIPT
THE NEXT FORTY YEARS

John Disley, CBE
President, Snowdonia Society

As Rob Collister has portrayed so expertly, the changing pressures on the National Park have had to be matched by changing responses from the Snowdonia Society. We have never seen ourselves as protecting a static landscape and, even more than in the past, will need to find ways of adapting without destroying Eryri's unique and irreplaceable qualities. The main challenges for the National Park and the Society we expect in the coming years are:

▨ **Sustainable energy use.** Climate change is arguably the greatest threat to the planet today. Important elements of our approach are the reduction in energy use, promoting small-scale, low-impact renewable energy schemes, supporting the development of energy-efficient housing and being flexible when considering modifications to existing buildings which will reduce greenhouse gas emissions.

▨ **Housing.** Lack of access to suitable and affordable housing for local people is a long-standing issue. The Welsh culture in Snowdonia is in danger of being further diminished if communities of a sufficient size and varied age structure cannot be sustained. The housing, economic and cultural needs of the local community will have to be met in ways which do not cause unacceptable damage to the special qualities of the Park.

▨ **Visitor pressure.** Increasing numbers of visitors will generate more traffic and put greater pressures on the environment and landscape. The Society would be concerned about any further plans for major road developments in Snowdonia but, if necessary, will push for sensitive minor improvements. We will be pressing for additional elements to the Green Key transport plans: better public transport connections with the coast; more integration between bus and rail services; more flexible and imaginative schemes with smaller vehicles (eg. the Nantlle taxi service); and restrictions on length of vehicles in the Park.

▨ **Upland farming.** Without diversification, not possible for all, and with reducing subsidies, the viability of many upland farms is in question. Agri-environmental schemes have greatly benefited the Park's biodiversity and conservation of historic features. At the same time they have been vital in increasing farmers' income and keeping people on the land. We will be pressing for adequate funding of such schemes.

▨ **Biodiversity.** At present, the Countryside Council for Wales has responsibility for deciding which habitats and individual species will be encouraged. But a wider debate on what the landscape of Snowdonia should look like in, say, forty years time is called for. For example, how much heather moorland, how much and what type of woodland is wanted and how far should 'rewilding' be undertaken? Climate change will present threats to some species but also new environmental opportunities.

▨ **The Eryri Trust Fund**, a joint initiative by the Society and the Park Authority, offers considerable potential for providing support to environmental and community projects in Snowdonia by making it easier to raise funds from a wider range of sources than either organisation could alone. The new summit building on Snowdon, Hafod Eryri, due to open in summer 2008, will help to raise the profile of Snowdonia and should help to boost the Eryri Trust Fund. But for all our good relationship, the Society will not be inhibited from criticising the Park Authority if necessary!

▨ **Devolution** has led to the Welsh National Parks being viewed in Wales less as British Parks than as National Parks for the people of Wales. Following the 2006 Government of Wales Act, giving more power to the Welsh Assembly, there will be changes over the next few years. The status of National Parks and their governance is being questioned. The Society will fight to maintain the structure and management that it regards as the most effective for Snowdonia and, in the process, to develop stronger links with the other two National Parks in Wales (Brecon Beacons and Pembrokeshire Coast) and possibly with Areas of Outstanding Natural Beauty.

The next forty years will undoubtedly present the Snowdonia National Park with many challenges. The Snowdonia Society believes that, with continuing support from a strong membership, it can make a vital contribution in helping to meet those challenges.

ÔL-NODYN
Y DEUGAIN MLYNEDD NESAF

John Disley, CBE

Llywydd, Cymdeithas Eryri

Fel mae Rob Collister wedi'i bortreadu mor fedrus, mae'r pwysau a roddwyd ar y Parc Cenedlaethol wedi gorfodi Cymdeithas Eryri hefyd i addasu ei ffyrdd. Nid ydym erioed wedi ystyried ein hunain fel ceidwad rhyw dirwedd ddigyfnewid, a bydd rhaid addasu fwy fyth yn y dyfodol, mewn byd sy'n prysur newid, heb ddinistrio rhinweddau arbennig ac unigryw Eryri. Y prif sialensiau fydd rhaid eu hwynebu gan y Parc Cenedlaethol a'r Gymdeithas yn y blynyddoedd nesaf yw:

Y defnydd o egni cynaliadwy. Gellir dadlau mai'r newid yn yr hinsawdd yw'r bygythiad mwyaf i'n planed ni heddiw. 'Rydym yn awyddus i hybu cynlluniau egni adnewyddadwy ar raddfa fechan fydd yn cael yr effaith leiaf posib ar y tirwedd. Byddwn hefyd yn cefnogi datblygu tai sy'n defnyddio egni'n effeithiol, a byddwn yn hyblyg wrth ystyried addasu adeiladau sydd eisoes yn bodoli.

Cartrefi. Mae tai fforddiadwy i bobl leol wedi bod yn broblem ers amser. Mae'r diwylliant Cymreig yn Eryri mewn perygl o ddirywio fwy fyth os na ellir cynnal cymunedau sydd o faint digonol, ac sydd ag amrywiaeth dda o bobl o bob oed yn byw ynddynt. Rhaid ateb y galw am gartrefi, a diwallu anghenion economaidd a diwylliannol y gymuned leol, mewn modd na fydd yn creu niwed annerbyniol i rinweddau arbennig y Parc.

Pwysedd ymwelwyr. Bydd niferoedd yr ymwelwyr yn cynyddu a bydd y drafnidiaeth a ddaw yn eu sgil yn rhoi mwy o bwysau ar yr amgylchedd a'r tirwedd. Ni fyddai'r Gymdeithas yn hapus i weld unrhyw gynlluniau pellach i ddatblygu prif ffyrdd yn Eryri, ond yn fodlon cefnogi unrhyw welliant bychan, sensitif os bydd raid. Byddwn yn pwyso am ychwanegu at gynlluniau trafnidiaeth y Goriad Gwyrdd; gwella cysylltiadau trafnidiaeth gyhoeddus â'r arfordir; gwella integreiddio rhwng y gwasanaethau bws a thrên; rhagor o gynlluniau hyblyg a chreadigol ar gyfer cerbydau llai e.e. gwasanaeth tacsi Nantlle, a chyfyngiadau i hyd y cerbydau a ddaw i'r Parc.

Ffermio tir uchel. Heb arallgyfeirio, sy'n amhosib i rai, ac yn dilyn gostyngiad yn y cymhorthdal, efallai nad yw'n ymarferol medru cynnal rhai o'r ffermydd sydd ar y tiroedd uchel hyn. Mae'r cynlluniau agri-amgylcheddol wedi bod o fudd mawr i fioamrywiaeth y Parc, a hefyd wedi bod o gymorth i warchod rhai o'i nodweddion hanesyddol. Ar yr un pryd maent wedi hybu incwm ffermwyr a chadw pobl ar y tir. Byddwn yn pwyso i gael digon o fodd i ariannu cynlluniau o'r fath.

Bioamrywiaeth. Ar hyn o bryd, cyfrifoldeb Cyngor Cefn Gwlad Cymru yw penderfynu pa gynefinoedd a pha rywogaethau unigol fydd yn cael eu hybu. Ond mae'n bryd cael trafodaeth ehangach ar sut y dylai tirwedd Eryri edrych mewn deugain mlynedd, dyweder. Er enghraifft, faint o rostiroedd grug, faint a pha fath o goed sydd eu hangen, a pha mor bell dylid gadael i'r 'gwyllt' ddychwelyd? Bydd newid yn yr hinsawdd yn bygwth ambell i rywogaeth, ond daw hefyd â chyfleoedd amgylcheddol newydd yn ei sgil.

Cronfa Ymddiriedolaeth Eryri. Mae Cronfa Ymddiriedolaeth Eryri, menter ar y cyd rhwng y Gymdeithas ac Awdurdod y Parc, yn cynnig cyfle da i gefnogi prosiectau amgylcheddol a chymunedol yn Eryri, drwy ei gwneud yn haws i godi arian o ystod ehangach o ffynonellau nag y gallai'r naill sefydliad na'r llall ei wneud ar ei ben ei hun. Bydd yr adeilad newydd ar gopa'r Wyddfa, Hafod Eryri, sydd i agor yn haf 2008, yn gymorth i godi proffil Eryri, ac yn hwb i Gronfa Ymddiriedolaeth Eryri. (Ni fydd ein perthynas dda ag Awdurdod y Parc yn ein rhwystro rhag beirniadu - petai angen!).

Datganoli. Mae datganoli wedi golygu fod Parciau Cenedlaethol Cymru yn cael eu gweld yng Nghymru yn fwy fel Parciau Cenedlaethol ar gyfer y genedl, yn hytrach na Pharciau Prydeinig. Yn dilyn Deddf Llywodraeth Cymru 2006, a roddodd fwy o bŵer i Lywodraeth Cynulliad Cymru, bydd newidiadau'n digwydd dros y blynyddoedd nesaf. Bydd statws Parciau Cenedlaethol a'u trefn lywodraethol yn cael ei gwestiynu. Bydd y Gymdeithas yn parhau i frwydro i gadw'r strwythur a'r rheolaeth sydd, yn eu barn nhw, yn fwyaf effeithiol i Eryri, ac yn sgil hyn, i ddatblygu cysylltiadau cryfach â dau Barc Cenedlaethol arall Cymru (Bannau Brycheiniog ac Arfordir Sir Benfro) ac, o bosib, ag Ardaloedd o Harddwch Naturiol Arbennig.

Bydd y deugain mlynedd nesaf yn sicr o gynnig nifer o sialensiau i Barc Cenedlaethol Eryri. Mae Cymdeithas Eryri'n credu, gyda chefnogaeth gyson yr aelodaeth gref, y gall wneud cyfraniad hollbwysig wrth geisio ymateb i'r sialensiau hynny.

References

'A View from the Window' in *Poetry for Supper*, R.S.
Thomas, Hart-Davis, MacGibbon Ltd, 1958.

Eryri, the Mountains of Longing, Amory Lovins (text) and Philip
Evans (photographs), George Allen & Unwin Ltd, London, 1971.

I Bought a Mountain, Thomas Firbank, George Harrap & Co Ltd, 1940.

Private Views of Snowdonia, Steve Lewis (photographs) and
people of the National Park (text), Gomer Press, Llandyssul
in association with the Snowdonia Society, 2005.

Ar Orwel Eryri, Steve Lewis (photographs) and people
of the National Park (text), Gomer Press, Llandyssul in
association with the Snowdonia Society, 2005.

The Old Churches of Snowdonia, Harold Hughes & Herbert L.
North, 1924. Additional material by Elizabeth & John Holman
and Harvey Lloyd, Snowdonia National Park Society, 1984.

The Old Cottages of Snowdonia, Harold Hughes & Herbert
L. North, 1908. Re-appraised by Ian Stainburn & Alan
Payne, Snowdonia National Park Society, 1979.

Welsh Country Essays, Condry, W, Gomer, 1996

What is Eryri? Jenny James, Snowdonia Society, 1997,
reprinted with amendments 2005.

Cyfeirnodau

'A View from the Window' yn *Poetry for Supper*, R.S.
Thomas, Hart-Davis, MacGibbon Ltd, 1958.

Eryri, the Mountains of Longing, Amory Lovins (testun) a Philip Evans
(ffotograffau), George Allen & Unwin Ltd, Llundain, 1971.

I Bought a Mountain, Thomas Firbank, George Harrap & Co Ltd, 1940.

Ar Orwel Eryri, Steve Lewis (ffotograffau) a Phobl y Parc Cenedlaethol
(testun), Gwasg Gomer, Llandysul ar y cyd â Chymdeithas Eryri, 2005.

The Old Churches of Snowdonia, Harold Hughes & Herbert L.
North, 1924. Deunydd ychwanegol gan Elizabeth & John Holman
a Harvey Lloyd, Cymdeithas Parc Cenedlaethol Eryri, 1984.

The Old Cottages of Snowdonia, Harold Hughes & Herbert
L. North, 1908. Ailgloriannwyd gan Ian Stainburn & Alan
Payne, Cymdeithas Parc Cenedlaethol Eryri, 1979.

Welsh Country Essays, Condry, W, Gomer, 1996

Pa beth yw Eryri? Jenny James, Cymdeithas Eryri, 1997,
ail-argraffwyd gan gynnwys newidiadau 2005.

Acknowledgements

The Snowdonia Society is greatly indebted to Rob Collister for this absorbing account of the first forty years of the Society's existence. The book reflects Rob's personal perspective on the National Park and the Society and also his great love for Snowdonia.

A number of present and past members of the Executive Committee commented helpfully on the text. Our thanks are due to those individuals who kindly provided images for the book, particularly Pierino Algieri, Steve Lewis ARPS and the Snowdonia National Park Authority. Katherine Himsworth liaised with our excellent professional Welsh translator, Betsan Llwyd, and with the inevitable last minute amendments to the translation. Dan James, our Operations Director, has had a valuable input with help also from Rob Owen, our Policy Director. Morag McGrath took responsibility for overseeing the project, collated the images and typed the drafts.

The Society would not have achieved so much over the last forty years had it not been for the enormous efforts of many members. Some of the main participants are mentioned in the text but there are many others who have given equally generously of their time to the Society and Snowdonia.

Finally, we have been fortunate in the encouragement and support we have received from the start of the project from Franco Ferrero and Peter Wood at Pesda Press.

Diolchiadau

Mae Cymdeithas Eryri'n hynod ddyledus i Rob Collister am yr hanes diddorol hwn am fodolaeth deugain mlynedd gyntaf y Gymdeithas. Mae'r llyfr yn adlewyrchu safbwynt Rob ynglyˆn â'r Parc Cenedlaethol a'r Gymdeithas a hefyd ei gariad mawr tuag at Eryri.

Cafwyd cyfraniad gwerthfawr i'r testun gan nifer o hen aelodau a'r rhai presennol. Rhaid diolch hefyd i'r unigolion hynny a gyflwynodd ddelweddau ar gyfer y llyfr, yn enwedig Pierino Algieri, Steve Lewis ARPS ac Awdurdod Parc Cenedlaethol Eryri. Bu Katherine Himsworth mewn cysylltiad clos â'n cyfieithydd Cymraeg arbennig ni, Betsan Llwyd; aeth hi i'r afael â'r newidiadau bychan munud olaf i'r cyfieithiad. Mae cyfraniad Dan James, ein Cyfarwyddwr Gweithredol, wedi bod yn un cyfoethog tu hwnt, ac mae Rob Owen, ein Cyfarwyddwr Polisi, wedi rhoi cymorth hefid. Morag McGrath oedd yn gyfrifol am arolygu'r prosiect, am gasglu'r delweddau a theipio'r drafftiau.

Ni fyddai'r Gymdeithas wedi cyflawni cymaint dros y deugain mlynedd diwethaf heb gymorth clodwiw nifer o'r aelodau. Mae sôn am rai o'r prif gyfranogwyr yn y testun, ond mae nifer o rai eraill hefyd wedi rhoi o'u hamser yn hael i'r Gymdeithas ac i Eryri.

I gloi, 'rydym wedi bod yn ffodus cael anogaeth a chefnogaeth o ddechrau'r prosiect gan Franco Ferrero a Peter Wood o Wasg Pesda (Pesda Press).

A number of the photographs have come from the Society's archives. We have tried to trace the photographers where this has been possible, but frequently there is no record of the photographer. We apologise in advance to anyone who feels that they should have received acknowledgement.

Below is a list of the photographers who have contributed images, organised by their initials as they appear alongside each caption throughout the book:

AL	Andrew Lemon	PL	Paul Lewis
AP	Alvin Prior	RC	Rob Collister
AH	Anne Harrison	RF	Rory Francis
DF	David Firth	RO	Rob Owen
DJ	Dan James	RT	Ronald Thompson
EE-J	Emma Edwards-Jones	SL	Steve Lewis
HL	Harvey Lloyd	SNPA	Snowdonia National Park Authority
JJ	Jenny James		
JR	John Roberts	SS	Snowdonia Society
MM	Morag McGrath	TS	Tony Shaw
PA	Pierino Algieri	VH	Val Hurst
PJ	Peter Jones		

www.algieri-images.co.uk
The website of Pierino Algieri

www.landscapesofwales.co.uk
The website of Steve Lewis

Snowdonia Society

If you are interested in supporting the work of the Snowdonia Society or would like more information about their current activities, please contact the Society at Tŷ Hyll, Capel Curig, Betws y Coed, LL24 0DS; telephone: 01690 720287; e-mail: info@snowdonia-society.org.uk; website: www.snowdonia-society.org.uk

Mae nifer o'r lluniau wedi dod o archifau'r Gymdeithas. 'Rydym wedi ceisio olrhain y ffotograffwyr ble 'roedd hynny'n bosib, ond yn aml nid oes cofnod o'r awdur. 'Rydym yn ymddiheuro o flaen llaw i unrhyw un sy'n teimlo y dylai fod wedi cael cydnabyddiaeth.

Isod mae rhestr o'r ffotograffwyr a gyfranodd luniau, wedi eu trefnu yn ôl eu llythrennau cyntaf, fel maent i'w gweld ger bob pennawd drwy'r llyfr:

AL	Andrew Lemon	MM	Morag McGrath
AP	Alvin Prior	PA	Pierino Algieri
APCE	Awdurdod Parc Cenedlaethol Eryri	PJ	Peter Jones
AH	Anne Harrison	PL	Paul Lewis
CE	Cymdeithas Eryri	RC	Rob Collister
DF	David Firth	RF	Rory Francis
DJ	Dan James	RO	Rob Owen
EE-J	Emma Edwards-Jones	RT	Ronald Thompson
HL	Harvey Lloyd	SL	Steve Lewis
JJ	Jenny James	TS	Tony Shaw
JR	John Roberts	VH	Val Hurst

www.algieri-images.co.uk
Gwefan Pierino Algieri

www.landscapesofwales.co.uk
Gwefan Steve Lewis

Cymdeithas Eryri

Os oes gennych ddiddordeb mewn cefnogi gwaith y Gymdeithas, neu os hoffech gael mwy o wybodaeth ynglŷn â'i gweithgareddau presennol, cysylltwch a'r Gymdeithas yn Tŷ Hyll, Capel Curig, Betws y Coed, LL24 0DS; ffon: 01690 720287; e-bost: info@cymdeithas-eryri.org.uk; gwefan: www.cymdeithas-eryri.org.uk